D0235879

Les
Peintres
et les
Hauts-de-Seine

L' éditeur tient à remercier tout particulièrement
M. Jean-Marie de Morant, Directeur de la Communication
au Conseil Général des Hauts-de-Seine
dont l'enthousiasme, la compétence et l'amical appui
ont permis la réalisation de cet ouvrage.

Les
Peintres
et les
Hauts-de-Seine

Sous la direction de Anne Guillin
avec la collaboration de Sylvie Blin

Peintres et départements
Collection dirigée par Michel Péricard

Sogemo

Illustrations des gardes

Henri Matisse
Allée dans le bois de Clamart (extrait)

Edouard Manet
Un coin de jardin à Bellevue (extrait)

© Sogemo 1990

Aux habitants des Hauts-de-Seine
pour lesquels ce livre est aussi celui de leur Histoire

Préface

J'ai souhaité dédier ce nouveau livre sur les Hauts-de-Seine à ses habitants. Ces peintures seront sans doute pour eux plus émouvantes encore parce qu'elles illustrent l'histoire de notre département de la fin du XIXᵉ au début du XXᵉ siècle, époque cruciale où la campagne cède progressivement sa place aux villes naissantes.

Par chance, la plupart des meilleurs peintres de l'époque qui restent parmi les plus grands maîtres de l'histoire de la peinture ont éprouvé dans les Hauts-de-Seine leur talent parce que les paysages et les couleurs s'y prêtaient parfaitement.

A cette époque, en effet, les peintres, non sans un certain courage, sortaient par bonheur des académies, pour partir à la recherche de la lumière, de l'utilisation des couleurs sincères, de formes plus libres et des instantanés de la vie courante. Si bien qu'au fil des reproductions de ce livre, chacun découvrira des tonalités que le temps et l'urbanisme ont, il faut bien le reconnaître, en partie estompées.

Apparaissent alors, avec des toiles peintes à Asnières, les couleurs saturées de Van Gogh dont ses célèbres jaune et bleu, ou la chaleur des lumières ensoleillées de Marquet, de Guillonnet ou de Monet.

Les paysages dont il est souvent facile de situer le point d'observation dévoilent leurs contrastes et leur luminosité parfois violente grâce à l'expression de ceux que, par dérision, l'on avait dénommé «les fauves». Citons bien sûr, Matisse, le précurseur, à qui nous devons cette exceptionnelle «Allée dans le bois de Clamart».

Mais, au delà de l'extraordinaire variété des techniques utilisées - impressionniste, pointilliste, ou naïve - reste la permanence des sujets. Aussi ces peintures sont-elles des témoignages de ce que fut la vie quotidienne de l'époque, ce qui leur confère un intérêt historique.

Ces silhouettes hautaines et énigmatiques de Seurat, ces femmes heureuses de Renoir perdues parmi les fleurs, ou d'autres, courtisées par des baigneurs de la Seine coiffés de leur canotier du dimanche illustrent les fragments d'un monde disparu et bientôt haché par la guerre qui s'annonce.

Les images bucoliques et l'humilité des sujets choisis donnent néanmoins au temps un sentiment d'éternité auquel le tableau de Jongkind peint à Clamart ou la femme assise sur un rocking-chair de Guillonnet, apportent une apaisante impression d'insouciance.

Par opposition à cette quiétude apparente, et notamment grâce à la peinture naturaliste de l'anarchiste Luce, de nouveaux sujets sont représentés tels que les premiers grands chantiers du département à Issy-les-Moulineaux ou «Les Batteurs de pieux» de Boulogne-Billancourt qui laissent entrevoir un monde différent où l'effort semble primer sur l'insouciance.

Avec Signac, apparaissent vers 1883 les premières usines et au fond du «Marché de Courbevoie», de Gleizes, se profile la première haute cheminée et sa fumée blanche. A Malakoff, les fils télégraphiques modernes barrent le tableau de Rousseau pour donner aux personnages plus de présence et, paradoxalement, plus d'insignifiance.

Les couleurs deviennent alors plus franches, les traits plus durs notamment avec Camoin. L'imagination des premiers impressionnistes cède alors à un effort de composition qui donne à la vie un aspect plus structuré.

Que sont devenus ces paysages, ces champs de blé, ces moulins, ces bords de Seine accueillants, ces roseraies et ces ciels saturés de lumière et de nuages blancs ? Cette interrogation devrait nous incliner aujourd'hui à témoigner davantage de respect pour notre environnement si nous voulons que les Hauts-de-Seine continuent à inspirer une nouvelle génération de peintres.

Charles Pasqua

Ancien Ministre
Sénateur des Hauts-de-Seine
Président du Conseil Général

Introduction

Ce livre n'a pas la prétention d'être un ouvrage d'histoire de l'art, ni une liste exhaustive des artistes ayant séjourné ou peint dans les Hauts-de-Seine; il se présente comme une invitation à redécouvrir des paysages et des lieux familiers, parfois oubliés, méconnus ou disparus, à travers le regard des peintres.

La peinture de paysage en tant que telle n'apparaît pas en France avant la fin du XVIIIe siècle. L'Académie, qui dirige toute la création artistique de l'époque ne reconnaît pas la peinture de paysage dans sa hiérarchie des genres admis au Salon officiel. Or, les peintres dont les tableaux sont refusés au Salon n'ont aucune chance d'être connus et de recevoir des commandes. C'est pourquoi la nature n'est jamais représentée pour elle-même mais comme le décor de scènes historiques ou mythologiques. Les peintres Hubert Robert et Fragonard seront les premiers, à la fin du XVIIIe siècle, à s'intéresser au paysage.

Cependant, l'influence de la peinture hollandaise et des artistes anglais, le retour à la nature prôné par Rousseau et Chateaubriand vont faire évoluer la situation : en 1816 est créé le prix de Rome pour le paysage historique, grâce aux efforts des peintres

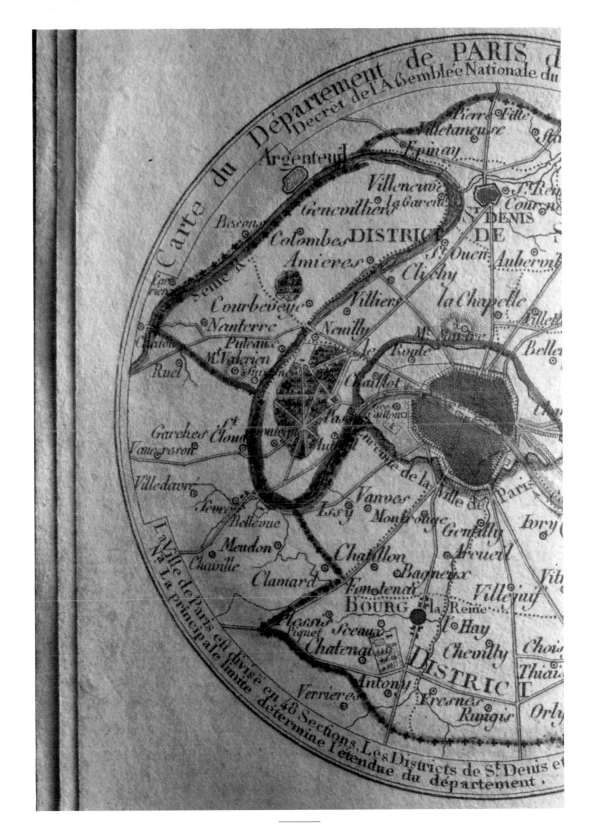

Valenciennes et Bertin. La peinture de paysage n'est encore qu'un genre mineur mais désormais admis au Salon.

Différents mouvements esthétiques vont alors s'opposer. Le paysage classique, codifié, est encore dominant : il s'agit de recréer la nature, complètement idéalisée, à l'image de Poussin.

En réaction contre le classicisme un peu figé va naître le réalisme – ou naturalisme – de Corot, Courbet et Paul Huet. Les peintres abandonnent peu à peu l'atelier pour étudier la nature sur le motif, aux alentours de Paris, sur les bords de la Seine, à Saint-Cloud, Suresnes, Sceaux et dans bien d'autres communes; Corot devient le «peintre de Ville-d'Avray» et Paul Huet s'aventure sur l'Ile Seguin encore à l'état sauvage.

Désirant dépasser le réalisme, la génération de 1830 va introduire une dimension affective, voire métaphysique dans le paysage: l'image de la nature peut exprimer un sentiment profond. Rousseau, Diaz, Dupré et Daubigny, les fondateurs de l'Ecole de Barbizon, sont les premiers paysagistes romantiques, exprimant leur émotion à travers une vision personnelle de la nature.

On ne craignait pas à l'époque de parcourir tout ce chemin à pied, de Paris à Saint-Cloud ou Suresnes. On exécute au cours de ces longues marches des croquis, des esquisses, des aquarelles, de l'aube au crépuscule. Mais l'achèvement du tableau se fait encore le plus souvent en atelier.

Les grandes mutations techniques et sociales qui s'effectuent dans la seconde moitié du XIXe siècle, l'industrialisation progressive et l'implantation d'un réseau de chemins de fer vont bouleverser l'environnement naturel. Parallèlement s'opère une révolution esthétique: le Réalisme doit être dépassé. L'atmosphère, la lumière, les ombres et les

reflets changeants sont la préoccupation d'une nouvelle génération de peintres, les impressionnistes. Il ne s'agit plus de peindre simplement ce que l'on voit mais ce que l'on perçoit : l'éphémère, l'impalpable, l'air entre les arbres, les rayons du soleil, l'ombre des feuillages. Les peintres s'attachent à représenter une atmosphère, une heure du jour, une saison, par delà la simple observation de la nature.

Résolument modernes, suivant l'expression de Baudelaire, ils représentent leur époque : les trains, les ponts, les bateaux à vapeur. Mais il leur sera très difficile de se faire reconnaître : après les scandales provoqués par les tableaux d'Edouard Manet, les impressionnistes sont à leur tour refusés au Salon. Leur peinture est incomprise, rejetée, condamnée : cela se traduit le plus souvent par d'énormes difficultés matérielles, parfois même la misère.

A la suite des impressionnistes, les pointillistes empruntent le chemin d'Asnières et de Gennevilliers, tracé par Monet, Sisley et Caillebotte. Le développement des activités de loisirs, des guinguettes et des fameuses grenouillères suscite l'intérêt des artistes et devient le champ de nouvelles expériences picturales. Certains lieux sont devenus indissociables de la création artistique, comme l'Ile de la Grande Jatte et le pont d'Asnières où sont venus peindre Seurat, Emile Bernard et Van Gogh.

Les Nabis, puis les Fauves viendront également chercher l'inspiration à Saint-Cloud, Boulogne, Clamart ou Vaucresson.

Mais ce qui est devenu la banlieue de Paris est aussi le foyer de tous ces «petits maîtres», ces peintres «naïfs» que sont Utrillo, le Douanier Rousseau ou plus tard Jean Eve. Levallois, Clichy, Puteaux, Malakoff et Nanterre, leur ambiance populaire, leurs maisons simples sont autant de sujets que les peintres représentent avec poésie.

L'Académie n'a alors plus guère d'influence sur la vie artistique. Les marchands et les critiques d'art l'ont remplacée : ils jouent désormais le rôle de découvreurs, de pro-

moteurs et de soutien auprès des artistes. Le public et les collectionneurs délaissent le Salon pour les galeries de peinture qui n'ont cessé de se multiplier.

Au début du XXᵉ siècle, les Hauts-de-Seine attirent encore les maîtres de la peinture moderne comme Gleizes, qui vécut à Courbevoie et fréquenta l'atelier cubiste de Puteaux; et surtout Matisse, qui passa plus de dix ans à Issy-les-Moulineaux, peignant certains de ses plus beaux tableaux.

Ainsi les Hauts-de-Seine nous offrent l'image d'un département qui a su être à la fois le théâtre de bouleversements sociaux et industriels dans un environnement naturel priviliégié, et le champ d'expériences picturales sensibles et diverses que nous vous invitons à découvrir dans cette promenade au fil des pages.

Les sites

Albert Gleizes
L'île de la grande Jatte
Paris, musée national d'Art moderne

Nos paysagistes partent dès l'aube, heureux comme des chasseurs
qui aiment le plein air. Ils vont s'asseoir n'importe où, là-bas à la lisière de la forêt,
ici au bord de l'eau, choisissant à peine leurs motifs, trouvant partout
un horizon vivant, d'un intérêt humain pour ainsi dire.
Tous, les petits et les grands, les excellents et les médiocres,
suivent les mêmes sentiers, obéissant au même instinct
qui les amène dans la campagne et leur dit de l'interpréter telle qu'elle est.

EMILE ZOLA

Il faut le plein air, une peinture claire et jeune,
les choses et les êtres tels qu'ils se comportent dans la vraie lumière.

EMILE ZOLA,
L' Oeuvre

Nous sommes tous des hommes qui croyons qu'un écrivain aussi bien qu'un peintre
doit être de son temps, nous sommes des artistes assoiffés de modernité.

HUYSMANS,
La nouvelle peinture

———

14

Robert Wehrlin
(1903-1964)
La Folie à Antony, 1942
Huile sur toile; 50 x 65
Collection privée

Maurice Utrillo
(1883-1955)
Route à Antony, 1928
Huile sur toile; 60 x 73
Collection privée

Antony Morlon
(1834-1914)
Les Régates à Asnières sous le Second Empire
Aquarelle rehaussée de gouache sur papier; 32 x 47
Sceaux, musée de l'Ile de France

Georges Seurat
(1859-1891)
Garçons se baignant, étude pour une baignade à Asnières, 1883
Huile sur bois; 155 x 250
Paris, musée d'Orsay.

Georges Seurat
(1859-1891)
Une Baignade à Asnières, 1883-1884
Huile sur toile; 200 x 300
Londres, The National Gallery

Emile Bernard
(1868-1941)
Les Chiffonniers : Ponts de fer à Asnières, 1887
Huile sur toile; 45,9 x 54,2
New York, The Museum of Modern Art

Paul Signac
(1863-1935)
Pont à Asnières, 1887
Huile sur toile; 46 x 65
Collection privée

Vincent Van Gogh
(1853-1890)
Le Pont à Asnières, 1887
Huile sur toile; 54 x 73
Houston, collection Dominique de Menil

Vincent Van Gogh
(1853-1890)
Le Parc Voyer d'Argenson à Asnières, les amoureux, 1887
Huile sur toile; 75,5 x 113
Amsterdam, Rijksmuseum Vincent Van Gogh

Vincent Van Gogh
(1853-1890)
Promenade au bord de la Seine, 1887
Huile sur toile; 49 x 66
Amsterdam, Rijksmuseum Vincent Van Gogh

Henri Rousseau dit le Douanier
(1844-1910)
Vue des environs de Paris, commune de Bagneux
Huile sur toile; 33 x 46
Japon, Kurashiki, Ohara Museum of Art

Jean Eve
(1900-1968)
Le Moulin des Bruyères à Bécon, 1941
Huile sur toile, 46 x 55
Collection privée

Paul Signac
(1863-1935)
L'Embranchement du chemin de fer à Bois-Colombes, 1886
Huile sur toile; 33 x 47
Grande-Bretagne, Leeds, Art City Gallery

Armand Guillaumin
(1841-1927)
Le Quai du point du jour, 1874
Huile sur toile; 54 x 65
Etats-Unis, Fullerton (Californie), Norton Simon Museum of Arts

Paul Huet
(1803-1869)
L'Ile Seguin, bords de Seine, le bain des chevaux, 1820
Huile sur carton; 12 x 34
Sceaux, musée de l'Ile de France

Félix Ziem
(1821-1911)
La Seine à Boulogne
Huile sur bois; 37,5 x 63
Beaune, musée des beaux-arts

Albert Marquet
(1875-1947)
Les Arbres à Billancourt, vers 1898
Huile sur toile; 54 x 65
Bordeaux, musée des beaux-arts

Maximilien Luce
(1858-1941)
Les Batteurs de pieux, 1902-1903
Huile sur toile; 154 x 195
Paris, musée d'Orsay

Maurice Utrillo
(1883-1955)
Rue à Bourg-la-Reine, vers 1923
Huile sur toile
Paris, collection Dr Kimpell

Georges Michel
(1763-1843)
Le Relais de la diligence à Bourg-la-Reine, vers 1800
Crayon et aquarelle; 19 x 30
Collection Pierre Miquel

Ecole française du XIXe siècle
Le Petit Luxembourg à Bourg-la-Reine en 1816
Gouache sur papier; 44 x 70
Sceaux, musée de l'Ile de France

James Forbes
(1749-1819)
Les Jardins à Aulnay, maison de Chateaubriand, 1817
Aquarelle sur papier; 19,5 x 27,5
Sceaux, musée de l'Ile de France

Henri Rousseau dit le Douanier
(1844-1910)
La Carrière, 1896
Huile sur toile; 47,5 x 55,5
New York, collection privée

Paul Huet
(1803-1869)
Chaville, chemin des petits bois, le chalet de l'artiste, 1867
Huile sur bois; 30 x 36
Sceaux, musée de l'Ile de France

Henri Zuber
(1844-1909)
Les Etangs de Chaville
Huile sur toile; 81 x 60
Collection privée

André Dunoyer de Segonzac
(1884-1974)
Neige à Chaville
Aquarelle; 56 x 76
Collection privée

Jean Eve
(1900-1968)
Pommiers en fleurs à Chaville, 1946
Huile sur toile; 54 x 65
Collection privée

Johan-Barthold Jongkind
(1819-1891)
Clamart, 1864
Aquarelle sur papier; 17 x 28
Sceaux, musée de l'Ile de France

Jean-Constant Pape
(1865-1920)
Une Vieille Carrière dans la plaine de Clamart
Huile sur toile; 170 x 235
Clamart, mairie

Jean-Constant Pape
(1865-1920)
Fête à Clamart, 1908
Huile sur toile; 73 x 81
Issy-les-Moulineaux, mairie

Henri Matisse
(1869-1954)
Allée dans le bois de Clamart, 1917
Huile sur toile; 61 x 38
Grenoble, musée de Peinture et de Sculpture

Henri Epstein
(1892-1944)
Clamart, 1918
Huile sur toile; 54 x 65
Paris, galerie Marek

Paul Signac
(1863-1935)
Les Gazomètres à Clichy, 1886
Huile sur toile
Australie, Melbourne, National Gallery of Victoria

Paul Signac
(1863-1935)
Quai de Clichy, 1887
Huile sur toile; 46 x 65
Etats-Unis, Baltimore, The Baltimore Museum of Art

Vincent Van Gogh
(1853-1890)
Les Remparts de Paris près de la porte de Clichy, 1887
Aquarelle; 39,5 x 53,5
Grande-Bretagne, Manchester, The Whitworth Art Gallery

Vincent Van Gogh
(1853-1890)
La Pêche au printemps, pont de Clichy, 1887
Huile sur toile; 49 x 58
Chicago, The Art Institute of Chicago

Hubert Robert
(1733-1808)
Le Moulin-Joli
Dessin à la sanguine sur papier; 29 x 36
Sceaux, musée de l'Ile de France

Jean-Baptiste Huet
(1745-1811)
Le Moulin-Joli à Colombes
Dessin à la sanguine; 23 x 29
Sceaux, musée de l'Ile de France

Alexandre Nozal
(1852-1929)
L'Embâcle de la Seine entre Asnières et Courbevoie, 1891
Pastel et crayon noir sur toile; 51,8 x 90
Paris, Petit Palais

Georges Seurat
(1859-1891)
La Seine à Courbevoie, 1886
Huile sur toile; 81,5 x 65
Collection privée

Georges Seurat
(1859-1891)
Le Pont de Courbevoie, 1886
Huile sur toile; 46 x 55
Londres, Courtauld Institute Galleries

Albert Lebourg
(1849-1928)
Le Pont de Neuilly du côté de Courbevoie
Huile sur toile; 40 x 65
Sceaux, musée de l'Ile de France

Albert Gleizes
(1881-1953)
Bords de Seine près de Courbevoie, 1908
Huile sur toile; 54 x 64
Courbevoie, musée Roybet-Fould

Le Marché de Courbevoie, 1905
Huile sur toile; 54 x 65
Lyon, musée des beaux-arts

Paul Huet
(1803-1869)
Les Moulins à Fontenay-aux-Roses, 1859
Aquarelle sur papier; 20 x 36
Sceaux, musée de l'Ile de France

Fontenay-aux-Roses, 1859
Aquarelle; 15,7 x 25,5
Collection Pierre Miquel

Pierre-Auguste Renoir
(1841-1919)
Jardin à Fontenay, 1874
Huile sur toile; 50,5 x 61,5
Winterthur, collection Oskar Reinhart

Octave Guillonnet
(1872-1967)
Rocking-chair à Garches, vers 1925
Huile sur papier; 37 x 47
Paris, galerie Les reflets du temps

Berthe Morisot
(1841-1895)
Dans les blés, 1875
Huile sur toile; 46 x 69
Paris, musée d'Orsay

Claude Monet
(1840-1926)
La Plaine de Gennevilliers, 1877
Huile sur toile; 50 x 61
Collection privée

Gustave Caillebotte
(1848-1894)
Les Roses, jardin du Petit-Gennevilliers, vers 1886
Huile sur toile; 89 x 116
Collection privée

La Plaine de Gennevilliers, vue des coteaux d'Argenteuil, 1888
Huile sur toile; 65 x 81
Collection privée

Paul Signac
(1863-1935)
Faubourg de Paris : route de Gennevilliers, 1883
Huile sur toile; 72,9 x 91,6
Paris, musée d'Orsay

Alfred Sisley
(1839-1899)
L'Ile de la Grande Jatte, 1873
Huile sur toile; 50,5 x 65
Paris, musée d'Orsay

Georges Seurat
(1859-1891)
Esquisse pour *La Grande Jatte*, 1884
Huile sur bois; 156 x 252
Zürich, collection Bührle

Georges Seurat
(1859-1891)
Un Dimanche d'été à l'île de la Grande Jatte, 1884-1886
Huile sur toile; 225 x 340
Chicago, The Art Institute of Chicago

Claude Monet
(1840-1926)
Le Printemps à travers les arbres: l'île de la Grande Jatte, 1878
Huile sur toile; 52 x 63
Paris, musée Marmottan

Prosper Galerne
(né en 1836)
Dans le parc d'Issy-les-Moulineaux, 1876
Huile sur toile; 40 x 55
Sceaux, musée de l'Ile de France

Jean-Constant Pape
(1865-1920)
La Seine à Issy-les-Moulineaux, 1907
Huile sur toile; 175 x 220
Issy-les-Moulineaux, mairie

Charles Camoin
(1879-1965)
Le Pont à Issy-les-Moulineaux, 1910
Huile sur toile; 54 x 65
Collection privée

Maximilien Luce
(1858-1941)
Le Pont d'Issy-les-Moulineaux, 1910
Huile sur toile; 45 x 160
Mantes-la-Jolie, musée Maximilien Luce

Maximilien Luce
(1858-1941)
Chantier du métro à Issy-les-Moulineaux, 1905
Huile sur toile; 65 x 130
Mantes-la-Jolie, musée Maximilien Luce

Jean Chaurand-Naurac
(1878-1948)
Lecture au jardin, 1919
Huile sur toile; 81 x 60
Collection baron Gérard Chaurand

Georges-Marcel Burgun
(1874-1964)
L'Atelier du peintre Henri Matisse à Issy, 1918
Huile sur toile; 35,5 x 27,5
Issy-les-Moulineaux, musée municipal

Henri Matisse
(1869-1954)
L'Atelier rose, 1911
Huile sur toile; 179,5 x 221
Moscou, musée Pouchkine

Jean-Baptiste Isabey
(1767-1855)
Le Parc de Corvisart à la Garenne, 1814
Lavis de bistre sur papier; 15 x 12
Sceaux, musée de l'Ile de France

Jean Eve
(1900-1968)
Le Pont de Levallois vu d'une péniche du pont d'Asnières, 1947
Huile sur toile; 54 x 81
Collection Dr Bruel

Henri Rousseau dit le Douanier
(1844-1910)
Vue de Malakoff, 1908
Huile sur toile; 46 x 55
Collection privée

Jean-Baptiste Pasteur
(1850-1908)
Domaine de Villeneuve l'Etang, 1889
Huile sur bois; 23 x 15
Marnes-la-Coquette, musée des applications de la Recherche,
annexe de l'Institut Pasteur

Louis-François Français
(1814-1897)
Au Bord de l'eau, environs de Paris, Meudon, 1861
Huile sur toile; 80 x 120
Nantes, musée des beaux-arts

Louis Tauzin
(1842-1915)
Ile Seguin, vue de Meudon, vers 1890
Huile sur toile; 74 x 100
Boulogne-Billancourt, musée municipal

Prosper Galerne
(1836-?)
La Seine au Bas-Meudon, 1878
Huile sur toile; 100 x 141
Meudon, musée d'Art et d'Histoire

Gaston La Touche
(1854-1913)
Les coteaux de Meudon
Huile sur toile; 60 x 60,5
Boulogne-Billancourt, musée municipal

Jean-Constant Pape
(1865-1920)
La Rue Banes vers le haut à Meudon, vers 1900
Huile sur bois; 14 x 18
Meudon, musée d'Art et d'Histoire

La Place du Val-sous-Meudon, vers 1900
Huile sur bois; 14 x 18
Meudon, musée d'Art et d'Histoire

Berthe Morisot
(1841-1895)
Sur la terrasse à Meudon, 1872
Aquarelle; 206 x 175
Chicago, The Art Institute of Chicago

Edouard Manet
(1832-1883)
Un Coin de jardin à Bellevue, 1880
Huile sur toile; 54 x 65
Collection privée

Félix Ziem
(1821-1911)
Le Bas-Meudon, crépuscule, 1842-1844
Aquarelle; 19,5 x 33,5
Collection Pierre Miquel

Albert Lebourg
(1849-1928)
La Seine au Bas-Meudon, 1893
Huile sur toile; 38 x 61
Sceaux, musée de l'Ile de France

Albert Gleizes
(1881-1953)
Paysage avec personnage (Meudon), 1911
Huile sur toile; 146 x 114
Paris, musée national d'Art moderne

Victor de Grailly
(1804-1889)
Une Rue au Grand-Montrouge
Huile sur toile; 21 x 31
Dijon, musée Magnin

Léon Mellé
(1816-1889)
Les Moulins de Montrouge, vers 1860
Huile sur toile; 46 x 38
Sceaux, musée de l'Ile de France

Edouard Manet
(1832-1883)
Eglise du Petit-Montrouge
Aquarelle
Grande-Bretagne, Cardiff, National Museum of Wales

Pierre-Emmanuel Damoye
(1847-1916)
La Seine à Nanterre
Huile sur bois; 18 x 32
Sceaux, musée de l'Ile de France

Stanislas Lépine
(1835-1892)
Nanterre et le mont Valérien
Huile sur toile; 24 x 34
Sceaux, musée de l'Ile de France

Maurice Utrillo
(1883-1955)
Place à Nanterre
Huile sur toile
Collection privée

Charles Mercier
(1832-1909)
La Maison des chiffonniers: route de Chatou, 1904
Huile sur papier; 25,5 x 39,5
Paris, galerie Les reflets du temps

Maurice de Vlaminck
(1876-1958)
Bords de Seine à Nanterre: le quai Sganzin, 1905
Huile sur toile; 73 x 92
Genève, collection privée

Isidore-Laurent Deroy
(1797-1886)
Les Bords de Seine au milieu du XIXe siècle
Aquarelle sur papier; 22,5 x 28,5
Sceaux, musée de l'Ile de France

Albert Lebourg
(1849-1928)
Route au bord de la Seine à Neuilly, en hiver, vers 1888
Huile sur toile; 50 x 73
Paris, musée d'Orsay

Paul Huet
(1803-1869)
Vallée du Plessis-Robinson, 1837-1838
Aquarelle
Collection privée

Maurice Utrillo
(1883-1955)
Les Guinguettes à Robinson, vers 1910
Huile sur toile; 59 x 79
Sceaux, musée de l'Ile de France

Isidore-Laurent Deroy
(1797-1886)
Vue prise du pont de Neuilly sur le mont Valérien et Puteaux
Gouache sur papier; 15 x 23
Sceaux, musée de l'Ile de France

Luigi Loir
(1845-1916)
Le Quai national à Puteaux, 1878
Huile sur toile; 85 x 164
Nice, musée des beaux-arts Jules Cheret

Louis-Albert Bacler d'Albe
(1761 -1824)
Château de la Rueil-Malmaison
Huile sur toile; 46,5 x 30,5
Saint-Germain-en-Laye, mairie

Edouard Manet
(1832-1883)
La Maison de Rueil, 1882
Huile sur toile; 73 x 92
Berlin, Nationalgalerie, Staatliche Museen Preussischer Kulturbesitz

Jean-Honoré Fragonard
(1732-1806)
La Fête à Saint-Cloud
Huile sur toile
Collection privée

Charles Mercier
(1832-1909)
Fête Foraine à Saint-Cloud
Huile sur papier; 27 x 41
Collection privée

Théodore Rousseau
(1812-1867)
Le Vieux Pont de Saint-Cloud
Huile sur toile; 35 x 50
Lyon, musée des beaux-arts

Edouard Dantan
(1848-1897)
La Gare de Saint-Cloud, 1880
Aquatinte; 65 x 79
Saint-Cloud, mairie

Henri Rousseau dit le Douanier
(1844-1910)
Les Promeneurs dans le parc de Saint-Cloud, 1907-1908
Huile sur toile; 46 x 55
Paris, musée de l'Orangerie

Alfred Sisley
(1839-1899)
La Courbe de la Seine à Saint-Cloud, 1875
Huile sur toile; 66 x 91
Rennes, musée des beaux-arts

Raoul Dufy
(1877-1953)
Le Parc de Saint-Cloud, 1919
Huile sur toile; 72 x 60
Grenoble, musée de Peinture et de Sculpture

Isidore-Laurent Deroy
(1797-1886)
L'Eglise de Sceaux sous la neige, vers 1830
Lavis sur papier; 18 x 25
Sceaux, musée de l'Ile de France

Jean-Jacques Champin
(1796-1860)
L'Ancienne Gare de Sceaux et l'église, vers 1850
Lavis de sépia sur papier; 10 x 16
Sceaux, musée de l'Ile de France

Amédée Buffet
(1869-1934)
Le Parc de Sceaux
Huile sur toile; 54 x 73
Le Puy-en-Velay, musée Crozatier

Constant Troyon
(1810-1865)
Entrée du village de Sèvres, 1834
Huile sur toile; 61 x 100
Sceaux, musée de l'Ile de France

Jean-Baptiste Camille Corot
(1796-1875)
Le Chemin de Sèvres
Huile sur toile; 34 x 49
Paris, musée du Louvre

Henri Rousseau dit le Douanier
(1844-1910)
Vue d'une arche du pont de Sèvres
Huile sur toile; 33 x 41
Japon, collection privée

Jean Eve
(1900-1968)
L'Allée des marronniers rue Fieville le Vingt à Sèvres, 1946
Huile sur toile; 55 x 46
Collection privée

Constant Troyon
(1810-1865)
Vue prise des hauteurs de Suresnes
Huile sur toile; 182,5 x 265,5
Paris, musée du Louvre

Antoine Chintreuil
(1814-1873)
La Seine et le mont Valérien
Huile sur toile; 22 x 31
Sceaux, musée de l'Ile de France

Alfred Sisley
(1839-1899)
Après la débâcle, la Seine au pont de Suresnes, 1880
Huile sur toile; 46 x 65
Lille, musée des beaux-arts

Johan-Barthold Jongkind
(1819-1891)
La Barrière de Vanves, 1867
Alger, musée des beaux-arts

Georges-Marcel Burgun
(1874-1964)
Le Ruisseau, parc de Vanves
Huile sur toile; 61 x 50
Issy-les-Moulineaux, musée municipal

Edouard Vuillard
(1868-1940)
Jardin à Vaucresson, vers 1921
Huile et colle sur toile; 151 x 111
New York, The Metropolitan Museum of Art

Georges Seurat
(1859-1891)
Ville-d'Avray, maisons blanches, 1882
Huile sur toile; 33 x 46,5
Liverpool, Walker Art Gallery

Paul Huet
(1803-1869)
Bois de Ville-d'Avray, 1868
Huile sur toile; 43 x 71
Sceaux, musée de l'Ile de France

Paul Huet
(1803-1869)
Ville-d'Avray, abords des étangs, soleil d'automne, 1863
Huile sur Toile; 29 x 46
Sceaux, musée de l'Ile de France

Paul-Désiré Trouillebert
(1829-1900)
Ville d'Avray, 1880
Huile sur toile; 108 x 155
Paris, galerie Flavian

Jean Eve
(1900-1968)
La Carrière de Ville-d'Avray vue de l'étang, 1946
Huile sur toile; 60 x 73
Paris, musée national d'Art moderne

Jean-Baptiste Camille Corot
(1796-1875)
L'Etang, la maison Cabassud et le bout de la propriété de Corot
Huile sur toile; 28 x 40
Paris, musée du Louvre

Jean-Baptiste Camille Corot
(1796-1875)
Le Chemin de Corot
Huile sur toile; 65 x 90
Paris, galerie Schmit

Le déversoir de l'étang, vers 1830
Huile sur toile; 18 x 33
Arras, musée des beaux-arts

Alfred Sisley
(1839-1899)
Pont de Villeneuve-la-Garenne, 1872
Huile sur toile; 49,5 x 65,5
New york, The Metropolitan Museum of Art

Les
peintres

Frédéric Bazille
L'Atelier de Bazille
Paris, musée d'Orsay

*Cet ouvrage n'a pas la prétention d'être un répertoire complet
de tous les artistes et de tous les tableaux réalisés
dans les Hauts-de-Seine et sur les Hauts-de-Seine.*

*Notre choix peut sembler arbitraire,
mais nous avons essayé de donner l'image la plus représentative
de la peinture inspirée par les paysages
de notre département.*

Louis-Albert Bacler d'Albe
(1761 - 1824)

Le baron Bacler d'Albe participa à la campagne d'Italie de Bonaparte à titre de chef topographique, et fut nommé général de brigade sous le Premier Empire.

Retiré à Sèvres, il exécuta des paysages classiques inspirés de ses voyages, et des vues de Rueil, Sèvres et Saint-Cloud.

Il présenta pour la première fois au Salon de 1800 des tableaux représentant le Grand-Saint-Bernard, le Mont-Blanc et des paysages d'Italie.

Il est aussi l'auteur de nombreux tableaux de batailles, témoignages des campagnes napoléoniennes, et a publié plusieurs albums de lithographies.

Ses oeuvres sont aujourd'hui conservées dans les musées de Pontoise, de l'Ile de France à Sceaux, à la Bibliothèque Nationale et au château de Versailles.

Tableau p. 96

Emile Bernard
(1868 - 1941)

Né en 1868, Emile Bernard passe son enfance à Lille, sa ville natale. C'est un adolescent très prometteur, intelligent, qui présente des dons pour le dessin et l'écriture. Peu de temps après l'arrivée de sa famille dans la région parisienne, un ami de son père l'introduit dans l'atelier du peintre académique Cormon, où il rencontre Van Gogh. Il est chassé de l'atelier un an plus tard pour insubordination.

Il commence alors à peindre en compagnie de Van Gogh, et reçoit la visite de Signac qui l'a remarqué. Il n'a que dix-neuf ans lorsqu'il peint *Les Chiffonniers : ponts de fer à Asnières*, non loin de la maison familiale. Bernard traite ici un sujet moderne — les ponts — cher aux impressionnistes, mais en éliminant tout caractère pittoresque. Il invente une nouvelle vision, où la création picturale est plus importante que le sujet représenté.

Passionné par les problèmes de théorie esthétique, il cherche un nouveau style à opposer à la peinture impressionniste. En réaction contre ses prédécesseurs, il élabore un système qu'il appelle le Cloisonnisme : ce sont des couleurs fortes posées en aplat sur la toile, cernées de contours sombres, comme des cloisons. L'influence des estampes japonaises aux lignes noires et sinueuses est sensible. Ces notions très modernes préfigurent le Synthétisme et le mouvement Nabi, qui reprendront les mêmes principes.

En 1888, à Pont-Aven, Emile Bernard retrouve Gauguin, qu'il

Henri de Toulouse-Lautrec
Portrait d'Emile Bernard, 1885-1886
Londres, The Trustees of the Tate Gallery

avait rencontré deux ans plus tôt. C'est au cours de ce séjour que le jeune peintre brosse les *Bretonnes dans la prairie verte*, tableau qui fera date dans l'histoire de la peinture. Gauguin est séduit par l'idée de son jeune ami, qu'il amplifie et dépasse dans *La vision après le sermon*. Leur «collaboration» s'avère fructueuse et influence de nombreux artistes qui se réclament de l'Ecole de Pont-Aven.

De retour à Paris ils organisent au Café Volponi, l'exposition du «Groupe impressionniste et synthétiste», qui leur permet de montrer leurs toiles où se manifeste une volonté de simplification des formes et des couleurs. Mais leur amitié se désagrège peu à peu et leurs chemins se séparent définitivement après une brouille en 1891.

Bernard expose au Salon des indépendants puis avec le groupe des Nabis de Paul Sérusier et Maurice Denis. Sa peinture restitue la planéité de la toile par la juxtaposition de surfaces colorées et la disparition du modelé, tout en s'inspirant des notions apportées par Gustave Moreau et les symbolistes.

En 1893, il quitte la France et entreprend de nombreux voyages en Italie, en Espagne, en Egypte et gagne sa vie en envoyant des gravures à des revues comme le *Mercure de France* ou *L'Ymagier*.

Lorsqu'il revient en France dix ans plus tard, il abandonne le style d'avant-garde de ses débuts pour revenir à une peinture beaucoup plus traditionnelle. Il fait de fréquents voyages en Bretagne où il réalise des fresques pour diverses églises et publie de nombreux articles critiques et esthétiques d'un grand intérêt sur Odilon Redon, Cézanne et Gauguin.

Des oeuvres d'Emile Bernard sont conservées au musée d'Orsay et dans les musées de Bâle et New York, mais la plupart se trouvent dans des collections particulières.

Tableau p. 20

Amédée Buffet
(1869 - 1934)

Cet ancien élève de Lefebvre et de Robert-Fleury à l'école des beaux-arts figura régulièrement au Salon à partir de 1894, et obtint plusieurs récompenses.

Il a laissé des paysages d'inspiration orientaliste et des vues de la région de l'Ile de France.

Ses oeuvres sont conservées aux musées de Sceaux, de Marseille et du Puy.

Tableau p. 105

Georges-Marcel Burgun
(1874 - 1964)

Né à Paris en 1874, Burgun entre comme apprenti chez un peintre-graveur en 1899, fait un court passage à l'Ecole des arts décoratifs, puis devient l'élève d'Emile Jacque, un peintre de l'Ecole de Barbizon.

Ce paysagiste expose au Salon des indépendants à partir de 1903, puis au Salon d'automne.

A partir de 1910, il s'installe à Issy-les-Moulineaux où il passera presque toute sa vie, en compagnie de sa femme. Voisin et fervent admirateur de Matisse, il nouera avec celui-ci une longue amitié dont témoigne, entre autres, son tableau représentant l'atelier du peintre.

Issy-les-Moulineaux a bénéficié de la donation Burgun, et le musée de la ville conserve aujourd'hui de nombreux tableaux de l'artiste.

Tableaux p. 70, 113

Gustave Caillebotte
Portrait de l'artiste, 1889
Paris, musée d'Orsay

Gustave Caillebotte
(1848 - 1894)

Gustave Caillebotte est né à Paris le 19 août 1848. Elevé dans une famille bourgeoise, il commence des études de droit qu'il abandonne à la mort de son père, en 1873. Héritier d'une importante fortune, il peut alors se consacrer exclusivement à la peinture.

Après un court passage à l'école des beaux-arts, il devient rapidement l'ami et le généreux bienfaiteur des impressionnistes. Dès 1875, il achète à l'Hôtel Drouot des tableaux dont personne, ou presque, ne veut : des oeuvres de Berthe Morisot, Monet, Renoir, et Sisley. Puis il organise, finance, et participe aux expositions du groupe, de 1876 à 1885.

Caillebotte s'intéresse à la vie moderne, au quotidien parfois le plus banal de ses contemporains (*Le Pont de l'Europe, Les Raboteurs de parquet*, musée d'Orsay); ses cadrages très originaux, ses vues plongeantes prises du haut d'un balcon (*La Rue Halévy, vue du sixième étage*), préfigurent la photographie des décennies suivantes.

En 1888, il se retire au Petit-Gennevilliers, où il peut cultiver et entretenir un merveilleux jardin, qui lui inspire des tableaux pleins de charme (*Les Roses, jardin du Petit-Gennevilliers*), et se consacrer à la peinture de paysage. Passionné de navigation, il peint également de nombreuses régates empreintes d'une surprenante instantanéité, ou des paysages fluviaux. Il se rapproche du style de Monet, dans sa quête des vibrations éphémères de la lumière de plein air.

A sa mort en 1894, il lègue au musée du Luxembourg — alors musée d'Art moderne — son importante collection de tableaux impressionnistes; l'administration du musée en refusera près de la moitié!

Méconnu jusqu'au milieu du XXe siècle, il a aujourd'hui la place qui lui est due auprès de Renoir et de Monet. On peut voir quelques-unes de ses oeuvres au musée d'Orsay, aux musées de Chartres et d'Argenteuil.

Tableaux p. 59

Charles Camoin
(1879 - 1965)

Charles Camoin est né à Marseille en 1879, dans une famille d'artisans décorateurs. Il commence des études à l'école de commerce, tout en exerçant en dilettante ses talents de dessinateur. Encouragé par sa famille, il se rend à Paris en 1896 et s'inscrit dans l'atelier de Gustave Moreau à l'école des beaux-arts. Il y fait la connaissance de Marquet et de Matisse qui deviennent ses amis et avec lesquels il participe à l'exposition de 1905 au Salon des indépendants, qui provoque le scandale de «la cage aux fauves» (voir Matisse p. 138).

C'est lors d'une de ses nombreuses visites à son ami Matisse qu'il exécute *Le Pont à Issy-les Moulineaux*.

Camoin est un suiveur de grand talent, très influencé par Matisse, plutôt qu'un artiste révolutionnaire. Tout en s'intéressant aux effets de lumière violente — il peindra beaucoup dans le Midi — et aux couleurs vives posées en aplat, il reste cependant moins audacieux que ses amis.

Ses oeuvres sont conservées au musée d'Art moderne de la Ville de Paris, et dans les musées de Marseille, Aix-en-Provence et Saint-Tropez.

Tableau p. 67

Jean-Jacques Champin
(1796 - 1860)

Originaire de Sceaux, Jean-Jacques Champin, fils et petit-fils de notaire, pratique la gravure sur bois et la lithographie dans son atelier parisien : il gagne sa vie en réalisant des estampes réalistes pour des revues comme *L'Illustration*. Il publie également des guides touristiques vantant les mérites des stations thermales et du chemin de fer et des «albums de poche» destinés aux élèves dessinateurs et aux amateurs.

Néanmoins, chaque fin de semaine, accompagné de sa femme Elisa avec qui il partage sa passion pour la peinture, il quitte Paris pour la maison familiale de Sceaux.

Alors, il peut exprimer sa nature romantique en représentant dans ses tableaux des ruines perdues, des étangs, des rivières courant dans les sous-bois...

Ses oeuvres sont aujourd'hui conservées dans les musées de l'Ile de France à Sceaux, de Clermont-Ferrand, au musée Carnavalet et à la Bibliothèque Nationale.

Tableau p. 104

Jean Chaurand-Naurac
(1878 - 1948)

Jean Chaurand, qui prendra plus tard le nom de Chaurand-Naurac, naît à Lyon le 28 février 1878, dans une famille aisée et cultivée. Son père, avocat au barreau de Lyon, l'autorise à se présenter à l'école des beaux-arts de la ville, qu'il quitte en 1897 pour entrer dans l'atelier de Gustave Moreau à Paris; il y rencontre Camoin, Marquet et Matisse qui deviennent ses amis. Il participe avec eux à l'élaboration du Fauvisme (voir Matisse p. 138).

En 1913, il s'installe à Issy-les-Moulineaux dans une villa voisine de celle de Matisse. Ils partagent la même passion pour l'équitation, et le cheval, les courses, sont les sujets de prédilection de Chaurand-Naurac. Il exécute de nombreux dessins et croquis au trait rapide, preste comme le reportage, alors que sa peinture est plus appliquée, plus élaborée, presque méditative.

Cet artiste indépendant, n'appartenant à aucune école, réalise la synthèse des préoccupations du Fauvisme, du Cubisme et du Futurisme italien, les principaux mouvements d'avant-garde du début du siècle.

Les oeuvres de Chaurand-Naurac sont dans des collections privées, mais certaines sont conservées au musée national d'Art moderne et au musée des beaux-arts de Lyon.

Tableau p. 70

Antoine Chintreuil
(1814 - 1873)

Antoine Chintreuil est né à Pont-de-Vaux dans la Bresse le 5 mai 1814. Il enseigne quelque temps le dessin dans un collège de Mâcon, et se rend à Paris en 1838.

Sa vocation de peintre paysagiste que les frères Desbrosses, ses amis artistes, ont comprise, lui sera révélée par Corot qui l'encourage et le conseille.

Chintreuil découvre les environs de Paris,   il peint d'après nature les bords de Seine, au Bas-Meudon, à Suresnes (*La Seine et le mont Valérien*), avec le souci d'exprimer un climat poétique dans des tonalités qui feront de lui un précurseur de l'Impressionnisme.

Une grande partie de ses oeuvres ont été regroupées dans un musée qui porte aujourd'hui son nom à Pont-de-Vaux, sa ville natale.

Tableau p. 110

Jean-Baptiste Camille Corot
(1796 - 1875)

Jean-Baptiste Camille Corot naît dans une famille aisée de la petite bourgeoisie parisienne, en 1796. Son père, marchand drapier, le destine au commerce et le met en apprentissage; mais le jeune Corot veut devenir peintre, et ses parents le laissent finalement s'inscrire à l'école des beaux-arts en 1822, tout en lui allouant une petite rente qui lui permet de vivre et de se consacrer pleinement à sa vocation.

L'enseignement dispensé par les artistes de l'Académie ne le satisfait guère, et Corot délaisse peu à peu les différents ateliers de l'école pour étudier le paysage d'après nature.

Il part pour l'Italie en 1825, et y reste trois ans. Indifférent aux oeuvres des grands maîtres — il ne voit ni Raphaël ni Michel-Ange — il se fie à son instinct, et n'écoute que sa passion pour la peinture de paysage. Les oeuvres de cette période comme *Le Pont de Narni* ou *La Promenade du Poussin* (Louvre) font déjà preuve d'une grande maîtrise et surtout d'une spontanéité et d'une fraîcheur toutes nouvelles.

De retour en France, Corot ne cesse de voyager, de la Bretagne à la Provence. Il rejoint quelques temps Rousseau, Daubigny et Millet à Barbizon. S'écartant du caractère dramatique des paysages de Rousseau, il réalise des oeuvres d'un romantisme plus serein, plus poétique, empreintes parfois d'une certaine candeur, et d'une très grande sensibilité que l'on retrouve dans *La Forêt de Fontainebleau* (Washington) et *Le Moulin de Saint-Nicolas-lès-Arras* (Louvre).

Jean-Baptiste Camille Corot
Autoportrait
Paris, musée du Louvre

En 1851, il hérite de la maison de ses parents, à Ville-d'Avray. Cet homme réservé retrouve avec plaisir les lieux où s'est écoulée sa jeunesse, et y séjourne souvent, entre deux voyages. On l'appelle parfois le «peintre de Ville-d'Avray», tant la production de cette période est importante. Il ne se lasse pas de peindre la nature, qu'il choisit comme unique sujet de ses tableaux, éliminant les prétextes historiques ou mythologiques qu'imposait jusqu'alors l'Académie. Il est fidèle à cette notion innée chez lui que la lumière crée la vie, et restitue dans ses paysages toute une atmosphère par les variations subtiles d'une même tonalité, argentée en Ile de France, dorée en Italie.

Corot n'abandonne le paysage que pour s'intéresser à la figure féminine; il représente avec simplicité la femme, symbole de douceur, de tendresse et parfois de nostalgie. Ce sont des figures anonymes, représentées dans des poses, ou plutôt des attitudes naturelles : *La Femme à la perle*, vers 1869, *La Dame en bleu*, 1874 (Louvre). Là encore il rompt spontanément avec le style convenu de la peinture traditionnelle.

Corot expose régulièrement au Salon à partir de 1835. Baudelaire, qui apprécie beaucoup l'artiste, dit de lui qu'il est un «miracle du coeur et de l'esprit», et Delacroix l'admire. Il atteint la notoriété quand, en 1855, lors de l'Exposition Universelle, l'Empereur Napoléon III lui achète une toile.

Ce grand et discret artiste, qui n'a pas eu de maître, n'est guère porté sur l'enseignement. Il se contente de prodiguer quelques conseils, et recommande surtout l'indépendance d'esprit. Mais il n'hésite jamais à aider matériellement les débutants, et les fait largement profiter des commandes d'amateurs et collectionneurs de plus en plus nombreux. Et de faux Corot, oeuvres d'élèves, d'imitateurs ou de faussaires circulent encore.

Corot, initiateur du réalisme romantique, héritier du XVIIIe siècle par sa touche légère et précieuse, ses compositions sobres et équilibrées, est unique dans l'histoire de la peinture française; il a libéré l'art pictural de conventions et de carcans qui l'étouffaient, et peut être considéré comme le père de la tradition paysagiste française : il a donné ses lettres de noblesse à un genre jugé mineur par l'Académie. Il n'a pas créé d'« école», mais la perfection de son art ne pouvait qu'inciter les nouvelles générations d'artistes, qu'il a soutenues et encouragées, à innover.

Le musée du Louvre et le musée de Reims possèdent les plus importantes collections de Corot, mais son oeuvre est répartie dans de très nombreux autres musées.

Tableaux p. 107, 119, 120

Pierre-Emmanuel Damoye
(1847 - 1916)

Pierre-Emmanuel Damoye, charmant paysagiste, est un ancien élève de Bonnat à l'école des beaux-arts de Paris. Il est l'un des meilleurs continuateurs de la tradition inaugurée par Corot et Daubigny.

Il a peint de nombreuses toiles en Ile de France dont *La Seine à Nanterre* : vue prise d'un restaurant au bord de l'eau, qui apporte une originalité dans le cadrage et les jeux de lumière, et dont la touche très libre annonce l'Impressionnisme.

Des oeuvres de Damoye sont conversées dans les musées de Sceaux, d'Arras et de Dunkerque.

Tableau p. 86

Edouard Dantan
(1848 - 1897)

Fils de sculpteur, Edouard Dantan entre tout naturellement à l'école des beaux-arts de Paris, vers 1864. Il passe sa vie dans la maison familiale sur la colline de Saint-Cloud, qu'il ne quitte guère.

Peintre de genre, il représente avec réalisme les éléments pittoresques de son environnement, comme *La Gare de Saint-Cloud*. Ayant toujours vécu dans un milieu d'artistes, l'atelier est un de ses sujets favoris : *Un Coin d'atelier, L'Atelier de mon père*. Mais il est connu surtout pour ses illustrations des oeuvres de Victor Hugo et Zola.

Des tableaux de Dantan sont aujourd'hui conservés dans les musées de Rouen, Nantes, Le Havre, Limoges et Avignon.

Tableau p. 100

Isidore-Laurent Deroy
(1797 - 1886)

Deroy débute au Salon en 1822 avec des peintures de paysages et des lithographies. A partir de 1827, il publie ses oeuvres gravées, destinées notamment à l'illustration des livres du baron Taylor auteur des *Voyages pittoresques dans l'ancienne France*. Rappelons que Bonington, Boudin et même Turner ont également travaillé pour le baron.

Deroy a surtout représenté les sites d'Auvergne, de Bourgogne, de la région d'Honfleur et de l'Ile de France (*Vue prise du pont de Neuilly sur le mont Valérien et Puteaux, L'Eglise de Sceaux sous la neige*).

Après Isabey, il est un des meilleurs lithographes paysagistes de l'Ecole française.

Ses oeuvres sont conservées dans les musées d'Orléans, Dieppe, Louviers, Sceaux et à la Bibliothèque Nationale.

Tableaux p. 90, 94, 104

Raoul Dufy
(1877 - 1953)

Raoul Dufy est né au Havre en 1877, dans une famille très musicienne, comme en témoignent, dans son oeuvre, les nombreuses références faites à la musique (série des *Orchestres*).

Il suit à partir de 1892 les cours du soir de l'école municipale

Raoul Dufy
Autoportrait
Honfleur, musée Eugène Boudin

de dessin, et obtient quelques années plus tard une bourse qui lui permet d'aller étudier à Paris.

Ses premières toiles sont des oeuvres fauves par l'emploi de couleurs pures et par le choix des thèmes (*Rue pavoisée, Affiches à Trouville*, 1906, Paris, musée national d'Art moderne) mais restent encore d'une sensibilité impressionniste.

Influencé par Matisse et Cézanne, il évolue vers une peinture plus libre et plus personnelle : une grande vivacité des couleurs, un graphisme très dynamique caractérisent les oeuvres des périodes suivantes. On retrouve dans toutes ses toiles, qu'il s'agisse de sujets mondains ou de paysages, la légèreté, l'humour, la gaieté qui font le charme de son tableau *Le Parc de Saint-Cloud*.

Dufy s'intéressa également à l'Art décoratif. Il fonde en 1914, avec l'aide du couturier parisien Paul Poiret, une entreprise de décoration de tissus, et crée de nombreux décors de théâtre, notamment pour *Le Boeuf sur le toit* de Jean Cocteau et Darius

Milhaud. Il réalise également pour l'Exposition Universelle de 1937 un grand panneau mural dédié à *La Fée Electricité* (aujourd'hui au musée d'Art moderne de la Ville de Paris).

Son oeuvre est bien représentée aux musées du Havre, de Nice, de Grenoble, ainsi qu'au musée national d'Art moderne du Centre Georges Pompidou.

Tableau p. 103

André Dunoyer de Segonzac
(1884 - 1974)

André Dunoyer de Segonzac est né dans l'Essonne, à Boussy-Saint-Antoine dans une maison devenue depuis lors la mairie de la ville. Après la première guerre mondiale, il s'installe à Chaville, qu'il ne quittera plus. Indifférent aux révolutions esthétiques contemporaines, il apparaît comme le principal représentant du réalisme traditionnel, hérité de Corot et de Courbet. Il s'est parfois inspiré des paysages du Midi mais il a surtout peint en Ile de France.

Ne pratiquant qu'épisodiquement la peinture, Dunoyer de Segonzac se consacre essentiellement à la gravure, technique dans laquelle il excelle. Il illustre des oeuvres de Tristan Bernard, Jules Romains, Paul Morand, et Colette, ses amis, ou des classiques comme Virgile (*Les Géorgiques*). Il s'intéresse également à la danse (Les ballets russes d'Isadora Duncan) et au sport.

Son ami, le couturier Paul Poiret fut l'un des premiers à collectionner ses oeuvres.

Le musée national d'Art moderne et le musée Lambinet de Versailles possèdent d'importantes collections des oeuvres de Dunoyer de Segonzac.

Tableau p. 37

Henri Epstein
(1892 - 1944)

D'origine polonaise, Epstein commence ses études à l'académie des beaux-arts de Munich, et arrive à Paris en 1912. Il s'installe à la Ruche, un atelier libre, que fréquentent d'autres artistes exilés comme Modigliani, Soutine, Chagall.

Epstein préfère fuir l'animation de Paris pour exécuter de nombreux paysages d'inspiration cubiste. Ses tableaux reflètent la nostalgie, qu'il exprime violemment par un graphisme exacerbé, au trait acéré. La tristesse et la douleur qui se dégagent de ses oeuvres seront malheureusement prémonitoires : victime du nazisme, il est arrêté en 1944 et déporté en Allemagne dont il ne reviendra pas.

Tableau p. 43

Jean Eve
(1900 - 1968)

Jean Eve fut longtemps ce que l'on peut appeler un peintre du dimanche. Ce n'est qu'à l'âge de 46 ans qu'il abandonne son métier pour tenter de vivre de sa peinture.

Il naît à Somain près de Douai, dans une modeste famille d'ouvriers. Enfant, il aime dessiner mais on n'imagine pas dans ce milieu simple qu'il puisse devenir peintre.

D'abord engagé volontaire dans les spahis, il exerce de petits métiers, et s'installe à La Courneuve en 1923. Il croit avoir renoncé pour toujours au plaisir de peindre quand s'ouvre en 1924, au Petit Palais, l'exposition Courbet. C'est pour Jean Eve un révélation : il découvre que l'on peut émouvoir en représentant la réalité quotidienne. S'il n'avait eu femme et enfants, il aurait probablement tout abandonné pour se consacrer à la peinture, mais il doit se contenter des dimanches pour pratiquer ce qu'il peut désormais appeler son art.

Cet autodidacte exécute de nombreux tableaux représentant son univers : les environs de Paris à Sèvres, Levallois, Puteaux... Petits jardins, guinguettes au bord de l'eau, paysages familiers, tout est digne d'être représenté : *Le Moulin des Bruyères à Bécon, La Carrière de Ville-d'Avray vue de l'étang, Pommiers en fleurs à Chaville.* Plus sensible qu'intellectuel, il ne cherche pas à imiter les représentants de l'avant-garde comme Matisse et Picasso. Il peint ce qu'il voit, avec modestie et sincérité, comme un artisan. Sa clientèle se compose de gens simples, des petits commerçants, des ouvriers, ses collègues.

Il expose pour la première fois au Salon des indépendants en 1929, et rencontre l'équipe de la revue *Art Vivant* qui s'intéresse à lui et le soutient activement. C'est ainsi qu'en 1938, il participe à l'exposition des Maîtres Populaires de la Réalité, qui regroupe des oeuvres du Douanier Rousseau, de Maurice Utrillo et d'autres représentants de l'«art naïf», et qui lui permet de toucher un plus large public. Le succès venant, Eve quitte son emploi à la mairie de Levallois-Perret en avril 1946.

Sa peinture évoque l'oeuvre du Douanier Rousseau (voir p. 144) par la netteté des contours, l'apparente naïveté du mode de représentation. Comme son prédécesseur, il s'évertue à reproduire fidèlement et avec précision chaque détail.

Jean Eve
Autoportrait
Collection privée

Après avoir vécu dans l'ombre durant des années, Jean Eve connaît la notoriété : il est nommé officier puis commandeur des Arts et des Lettres. Il exécute des cartons de tapisseries pour les manufactures des Gobelins et de Beauvais, participe à de nombreux jurys et devient membre du Conseil supérieur des beaux-arts. Mais cette reconnaissance ne modifie en rien son tempérament, et il continue à peindre avec la même simplicité de nombreux paysages, soucieux de toujours améliorer sa technique, à force de travail et d'observation.

La nature est devenue le principal sujet de ses tableaux. Il cherche de nouveaux sites où planter son chevalet et se rend en Suisse, en Normandie (*Les Andelys, Château-Gaillard*, musée d'Art moderne de la Ville de Paris), en Bretagne, mais aussi à Venise, Menton et dans le Beaujolais (*Les Vignes*). Le célèbre peintre anglais Constable a dit que «le paysagiste doit contempler la campagne avec des pensées modestes; un esprit arrogant ne verra jamais la nature dans toute sa beauté». Sans le connaître, Eve a instinctivement suivi ce précepte.

De nombreux musées conservent des oeuvres de Jean Eve : citons le musée d'Art moderne de la Ville de Paris, les musées de Grenoble, Marseille, Nantes, Saint-Etienne et Valenciennes.

Tableaux p. 25, 38, 73, 109, 118

James Forbes
(1749 - 1819)

Ce peintre anglais fut avant tout un grand voyageur; il a parcouru tous les pays d'Europe et a longuement séjourné en Orient. Il a exécuté de nombreuses esquisses, croquis et aquarelles, très souvent reproduits pour illustrer les récits de voyages de l'époque.

Le musée de Sceaux a conservé les traces de son passage en Ile de France et possède une importante collection d'aquarelles de l'artiste parmi lesquelles une vue de la maison de Chateaubriand, à la Vallée aux Loups.

Tableau p. 34

Jean-Honoré Fragonard
(1732 - 1806)

Fragonard est né à Grasse en 1732 et n'a que 6 ou 7 ans lorsque sa famille s'installe à Paris. Montrant des dispositions peu communes pour le dessin, il entre dans l'atelier de Boucher dont il devient l'élève favori. Formé par le peintre de Louis XV et Madame de Pompadour, il obtient en 1752 la première place pour le Prix de Rome. Il passe alors trois ans en Italie, où il retrouve Hubert Robert avec lequel il se lie d'amitié.

A son retour en France, Diderot le voit comme le nouvel espoir de la peinture française, le successeur de Boucher. Mais Fragonard se détourne de l'Académie, pour exécuter des tableaux dits «de cabinet», très prisés des amateurs. Les scènes de genre, les portraits «de fantaisie» peints en «une heure de temps», les scènes galantes font le bonheur d'une clientèle lassée de la peinture classique et académique. Les personnages charmants qui animent ses tableaux sont le plus souvent inspirés de la vie de ses contemporains et représentés dans un cadre champêtre, des sous-bois, des parcs, des clairières comme dans la *La Fête à Saint-Cloud*.

Ce style de peinture est délaissé dès la fin du règne de Louis XV, et Fragonard échappe à la misère grâce à son ancien élève

David et à ses connaissances d'expert : il est nommé «conservateur» au nouveau Museum national.

Tous les grands musées du monde (Londres, New York, Leningrad) possèdent des oeuvres de Fragonard, mais la plus importante collection de tableaux de ce prodigieux artiste se trouve au musée du Louvre.

Tableau p. 98

Louis-François Français
(1814 - 1897)

Né à Plombières dans les Vosges, le jeune Louis-François arrive à Paris en 1828, et commence à travailler chez un libraire. Il fait ses débuts en réalisant des caricatures, et se met très vite à la peinture : ses premiers paysages peints sur le motif datent de 1831.

Il se rend souvent à Meudon, à Saint-Cloud, et à Sèvres en compagnie de Troyon, tandis que Paul Huet lui donne quelques conseils.

En 1834, il rejoint les peintres de Barbizon; l'influence de Corot et de Daubigny marquent désormais sa peinture, notamment dans la tonalité et les effets de lumière.

En outre, la qualité et la justesse du dessin le rattachent au courant naturaliste de l'époque.

Ses oeuvres sont dispersées dans un grand nombre de musées, Amiens, Chartres, Lille, et Plombières.

Tableau p. 76

Prosper Galerne
(né en 1836)

Prosper Galerne est né à Patay dans le Loiret, en 1836.

Il fait partie de ces «petits maîtres» dont le nom n'est pas passé à la postérité, mais qui ont produit une peinture plus qu'honorable et appréciée des amateurs.

On sait peu de choses de ce peintre : il semble cependant qu'il se soit toujours consacré à la peinture de paysage.

Loin des avant-gardes, il ne s'écarte jamais des conventions picturales bien définies : science du dessin classique, sens de la composition, appris en étudiant et copiant les maîtres du passé.

Il expose au Salon régulièrement à partir de 1870. Chaque année il présente des paysages fluviaux pour la plupart, des bords de la Seine ou du Loiret.

Ses oeuvres sont aujourd'hui conservées dans les musées de Sceaux, Châteaudun, Orléans et Poitiers.

Tableaux p. 65, 78

Albert Gleizes
(1881 - 1953)

Albert Gleizes est né à Paris en 1881, et passe son enfance dans la maison familiale, à Courbevoie. Son père dirige un atelier de dessins pour tissus et papiers peints, et ne voit aucun inconvénient à ce que son fils pratique dès qu'il en a l'occasion la peinture et le dessin. Son oncle, le peintre Comerre (Grand Prix de Rome en 1875) lui enseigne quelques bases et le jeune Albert acquiert très vite une certaine assurance.

Ses oeuvres de jeunesse sont le plus souvent des paysages ou des scènes pittoresques observées dans Courbevoie : *Bords de Seine près de Courbevoie*, *Paysage à l'église*, *Le Marché de Courbevoie*, représentés à la manière des impressionnistes avec de petites touches de couleurs claires juxtaposées.

Son talent ne passe pas inaperçu et ses premiers tableaux sont présentés aux expositions de la Société nationale des beaux-arts au Salon d'automne (1900-1903).

Gleizes n'est pas ce que certains appellent un «doux rêveur», et son tempérament d'artiste ne l'empêche pas de prendre conscience des réalités matérielles. Préoccupé par «la situation faite à l'artiste dans une société de plus en plus dominée par la spéculation et les affaires», il fonde en 1905 l'association Ernest Renan, dont le but est de venir en aide aux artistes en leur proposant d'exercer un métier proche de leur activité artistique, qui préservera leur indépendance. Avec un groupe d'amis, il crée une imprimerie dans une maison de Créteil, où chacun apporte sa part de travail tout en poursuivant l'exercice de son art. Ils éditent ainsi des oeuvres de Jules Romains, Anatole France, Odilon Redon. Cette expérience prend fin en 1908, à la suite de difficultés financières.

Gleizes fait alors la connaissance des peintres Metzinger et Robert Delaunay qui l'introduisent dans l'atelier de Marcel Duchamp et Jacques Villon, à Puteaux, foyer de la création artistique et littéraire, que fréquentent également Jean Cocteau et Guillaume Apollinaire.

C'est à cette période que Gleizes découvre le Cubisme, mouvement qui va révolutionner les arts et marquer les créateurs du style Art-Déco dans les années 20. Il en deviendra l'un des théoriciens en publiant en 1912, en collaboration avec Metzinger, un traité, *Du Cubisme*. Rejetant l'attitude «extrémiste» de Braque et Picasso. Gleizes fait le lien entre les valeurs

Jean Metzinger
Portrait d'Albert Gleizes
Paris, musée national d'Art moderne

traditionnelles de la peinture et les recherches nouvelles. Il reprend la géométrisation des formes mais n'abandonne pas la couleur (*Paysage avec personnage, Meudon*).

Après la première guerre mondiale, Gleizes s'installe à Serrières, sur la rive droite du Rhône. Il fonde une communauté d'artistes et d'artisans, baptisée Moly-Sabata. C'est à cette époque qu'il aborde l'art sacré, qui constituera désormais l'essentiel de sa production (*Vierge à l'enfant, Crucifixion*, 1935, musée des beaux-arts de Dijon).

Il participe également à la réalisation de grandes décorations pour le Pavillon de l'Air de l'Exposition Universelle de 1937, avec Fernand Léger et Survage.

Le musée national d'Art moderne du Centre Georges Pompidou, le musée d'Art moderne de la Ville de Paris, le musée Roybet-Fould à Courbevoie conservent des oeuvres de Gleizes.

Tableaux p. 53, 83

Victor de Grailly
(1804 - 1889)

Victor de Grailly est un élève de Bertin, le fondateur, avec Valenciennes, du Prix de Rome pour le paysage historique en 1816.

C'est un paysagiste classique, qui affectionne les sites boisés animés de rivières. Il a beaucoup travaillé dans les environs de Paris, dans la forêt de Compiègne, à Pierrefonds, en Normandie et dans le Dauphiné.

A partir de 1833 il participe régulièrement au Salon, où il obtient deux médailles.

Le musée Marmottan et le musée de Nice possèdent des oeuvres de Victor de Grailly.

Tableau p. 84

Armand Guillaumin
(1841 - 1927)

Si Guillaumin est aujourd'hui moins connu que Monet ou Renoir, il est cependant l'un des meilleurs représentants de l'Impressionnisme.

Armand Guillaumin est né à Paris en 1841; modeste fonctionnaire, il étudie la peinture à l'académie suisse de Paris, où il rencontre Cézanne et Pissarro. Il expose pour la première fois au Salon des refusés en 1863, puis régulièrement avec les impressionnistes, à partir de 1874. Il acquiert son indépendance matérielle en gagnant en 1891, une forte somme à une loterie.

Guillaumin exécute à ses débuts, en compagnie de Cézanne, des paysages parisiens aux tons clairs, nuancés. *Le Quai du Point du Jour* est une toile de cette période. Puis, sous l'influence de Signac, il emploie des tons de plus en plus vifs, lumineux et arbitraires, annonçant déjà la peinture fauve. La touche est plus serrée, les contrastes plus violents.

En 1893, il se retire à Crozant, dans la Creuse, où il continue à peindre, s'inspirant des paysages limousins. Resté jusqu'à sa mort un artiste indépendant, solitaire, indifférent aux honneurs, et peu enclin aux manifestations de groupe, Guillaumin est toujours demeuré à l'écart des discussions du Café Guerbois ou de la Nouvelle Athènes. Peut-être est-ce pour cela qu'il est trop souvent oublié lorsqu'on cite les impressionnistes.

Ses oeuvres sont conservées au musée d'Orsay et dans de nombreux musées de province (Agen, Bayonne, Guéret, Rouen, Saint-Quentin).

Tableau p. 27

Armand Guillaumin
Autoportrait
Paris, musée d'Orsay

Octave Guillonnet
(1872 - 1967)

Octave Guillonet est un peintre particulièrement précoce : il commence à peindre vers l'âge de treize ans et est reçu pour la première fois au Salon à quinze ans!

Cet ancien élève de Cormon adhère dès ses débuts aux positions du groupe des Nabis (voir p.123), sans pour autant faire partie du groupe.

Il est le peintre du soleil, qu'il a découvert en Algérie et dans le Midi de la France. Il aime la lumière violente et les forts contrastes, les contre-jours et les couleurs éclatantes.

En 1919, il s'installe à Garches, dans une maison bâtie au milieu d'un grand parc fleuri, inépuisable source d'inspiration. Il affectionne les sujets intimistes, et représente très souvent sa femme Emilie, au milieu des fleurs aux couleurs chatoyantes, avec des effets d'ombre colorée.

Sa peinture lumineuse, éclatante, où le dessin prend une place prééminente a toujours eu beaucoup de succès auprès des amateurs et se trouve actuellement dans les collections privées.

Tableau p. 56

Jean-Baptiste Huet
(1745 - 1811)

Reçu à l'Académie, Jean-Baptiste Huet participa à la décoration de Versailles. Aussi est-il surtout connu pour son oeuvre ornementale et décorative : il illustre *Les Fables* et *Les Contes* de La Fontaine, et réalise cartons et dessins pour les Manufactures de Beauvais et de Jouy.

Il a toutefois peint des vues de l'Ile de France dont *Le Moulin-Joli à Colombes* qui fut le lieu de réunion de nombreux artistes tels que Hubert Robert et Mme Vigée-Lebrun.

Les oeuvres du peintre sont conservées, pour la plupart, au musée du Louvre et au musée des Arts décoratifs.

Tableau p. 48

Paul Huet
(1803 - 1869)

Injustement oublié et méconnu aujourd'hui, Paul Huet est le premier paysagiste romantique français; dans son ouvrage *Paul Huet, de l'aube romantique à l'aube impressionniste*, Pierre Miquel a montré que l'artiste pouvait être considéré comme l'initiateur de cette nouvelle «Ecole de 1830».

Né à Paris en 1803, sa vocation se révèle dès l'âge de treize ans. Il entre dans l'atelier de Gros, l'auteur de *Bonaparte au Pont d'Arcole* et des *Pestiférés de Jaffa*, et passe le plus clair de son temps dans l'île Seguin sur la Seine. Cette île, bien différente de ce que nous connaissons aujourd'hui, était encore à l'état sauvage et offrait une végétation vierge et luxuriante. Paul Huet en a fort bien rendu l'atmosphère dans *L'Ile Seguin, bords de Seine, le bain des chevaux*.

L'artiste est en complète réaction contre le paysage historique, académique, qui n'est que la froide imitation de Poussin — le maître de la peinture française du XVIIe siècle — modèle incontesté et «obligatoire». Il ne se prive pas de critiquer ouvertement l'Académie, ce qui lui coûtera par la suite plusieurs refus au Salon.

La nature exerce sur lui une véritable fascination : toute sa vie il tente de restituer ce qu'elle a de plus tourmenté, de plus inquiétant. La forêt, mystérieuse, est son thème favori. Il la dépeint avec réalisme, témoignant d'un grand sens de l'observation, tout en traduisant son impression personnelle et ses émotions. Romantique, il représente la nature sous des ciels d'orage, quand l'ondée est imminente, au crépuscule ou illuminée par un clair de lune dramatique. L'eau, les arbres, les nuages, c'est toute la peinture de Paul Huet.

Les plus grands ne s'y trompent pas : Delacroix lui voue une réelle admiration et une amitié sincère. Huet, qui est un personnage cultivé et délicat, fréquente également des hommes de lettres comme Alexandre Dumas, Lamartine, Victor Hugo.

L'exposition consacrée en 1824 au grand paysagiste anglais Constable est pour lui, comme pour beaucoup d'autres artistes, une révélation. Mais les conceptions de Constable (naturalisme, réalisme, simplicité, sensibilité) sont déjà celles de Huet, son oeuvre le prouve. Proche des idées et surtout de la sensibilité anglaises, il se lie tout naturellement avec Bonington, un autre paysagiste anglais, héritier de Constable, séjournant alors en France.

En 1837, il devient le professeur de dessin de la duchesse d'Orléans, qu'il accompagne à Compiègne. La révolution de 1848 le prive de cette protection et le met dans de grands embarras financiers. Il revient alors à Meudon qui lui inspire certaines de ses oeuvres les plus réussies; sa manière évolue, et les tableaux de cette période ont quelque chose de plus intime, de plus contenu, qui apporte une poésie nouvelle, plus tendre mais peut-être plus intense. Sa palette s'éclaircit, se fait plus lumineuse, tout en gardant la fraîcheur de coloris des débuts.

Quelques années plus tard il peint ce que l'on considère à l'époque comme son chef-d'oeuvre : *Inondation à Saint-Cloud*, présenté au Salon de 1855 (voir page 11). Ce tableau remporte un grand succès auprès du public et des critiques; les Goncourt écrivent : «M. Huet rend d'un savant pinceau ces verdures pâles et aériennes qui dorment au bord des eaux.», et l'Etat achète ce tableau en 1857 (il se trouve toujours au Louvre). Cette grande composition a perdu un peu de la spontanéité des premières toiles, l'aspect dramatique est un peu emphatique, et l'exécution manque de légèreté.

A la fin de sa vie, Paul Huet se retire à Chaville, et réalise plusieurs études intéressantes : *Chaville, chemin des petits bois, le chalet de l'artiste, Bois de Ville-d'Avray*. Mais le style de ces tableaux devient quelque peu dépassé : nous sommes en 1863 et Manet et les impressionnistes ne sont plus loin, l'école romantique de 1830 n'est plus d'actualité. Pourtant Huet s'intéresse au mouvement artistique de son temps et soutient les artistes du Salon des refusés de 1863 et 1865. Bien qu'il n'ait pas participé au mouvement impressionniste, Huet l'a néanmoins compris et encouragé.

Il meurt foudroyé par une attaque d'apoplexie, après avoir travaillé toute une matinée à son dernier tableau, *Le Ciel entrouvert*, dans lequel on retrouve les ciels tourmentés et les eaux miroitantes chères à l'artiste. Théophile Gautier dit de lui qu'il est «le romantique du paysage, comme Delacroix était le romantique du drame».

Ses oeuvres ont été pour la plupart regroupées au musée de l'Ile de France à Sceaux, au musée du Petit Palais, et au Louvre.

Tableaux p. 11, 28, 36, 54, 116, 117

Johan-Barthold Jongkind
Autoportrait sous le soleil, 1860
Paris, cabinet des dessins du Louvre

Jean-Baptiste Isabey
(1767 - 1855)

Né à Nancy en 1767, Jean-Baptiste Isabey arrive à Paris en 1785. Ce disciple de David fut un portraitiste très apprécié pendant la Révolution et sous le Premier Empire. Couvert d'honneurs, il devint le professeur de dessin de la famille impériale, puis le décorateur en chef des théâtres impériaux. Il exécuta de nombreux portraits — dessins, lavis, gravures, miniatures — de Joséphine et de Marie-Louise. *Le parc de Corvisart à La Garenne* (1814) est un des rares paysages exécutés par l'artiste.

Ses oeuvres sont conservées essentiellement au musée du Louvre et au musée de Sceaux.

Tableau p. 72

Johan-Barthold Jongkind
(1819 - 1891)

Jongkind, que son père destinait tout d'abord au notariat, fait ses études à l'école municipale de dessin de La Haye. Il se spécialise dans la peinture de paysage, tradition depuis longtemps établie en Hollande.

Venu en France en 1845, après avoir fait la connaissance d'Eugène Isabey, il peint de nombreuses vues de Paris et des ports de Normandie qui obtiennent un certain succès.

Après un échec à l'Exposition Universelle de 1855, il retourne en Hollande où il est mal accepté : Jongkind s'enivre dans les bistrots et trouble la vie tranquille de Rotterdam. Il regagne Paris cinq ans plus tard.

En 1863, il participe au Salon des refusés, et l'année suivante, rencontre Monet à Honfleur. Peu à peu sa touche s'allège, son pinceau commence à suggérer les vibrations de la lumière. Il pratique l'aquarelle, au début à titre d'étude, puis de plus en plus pour elle-même : elle offre une grande liberté d'exécution que l'artiste exploite largement, avec talent et sensibilité. Il devient un excellent aquarelliste au style enlevé, rapide et assuré.

Il se retire à la fin de sa vie dans le Dauphiné, auprès de sa compagne Mme Fesser, qui ne parvient pas à le guérir tout à fait de l'alcool. Interné à l'asile d'aliénés de Grenoble, Jongkind y meurt le 9 février 1891.

Le musée du Louvre, le musée d'Orsay, le Petit Palais à Paris, les musées de Grenoble, Reims, Angers conservent des oeuvres du peintre.

Tableaux p. 39, 112

Gaston La Touche
(1854 - 1913)

Gaston La Touche est né en 1854 à Saint-Cloud, où s'est écoulée presque toute sa vie. Enfant, il couvre tout ce qui lui tombe sous la main de dessins agrémentés de couleurs quand il a assez d'argent en poche pour s'acheter quelques tubes de peinture. Il peint d'instinct : vivant dans un milieu modeste, il ne connaît rien des peintres.

Il doit imposer à sa famille sa vocation, que ses parents ne prenaient guère au sérieux. Les Dantan père et fils étant ses proches voisins, il leur rend visite et acquiert auprès d'eux les premiers rudiments de la peinture.

Il exécute de nombreuses natures mortes, s'attachant d'abord à reproduire le plus fidèlement possible ce qu'il voit, et de beaux paysages, souvent représentés au coucher du soleil, au moment où les couleurs sont plus vives et semblent s'enflammer.

Ses oeuvres sont conservées à la mairie de Saint-Cloud, au musée de Boulogne et dans des collections particulières.

Tableau p. 79

Albert Lebourg
(1849 - 1928)

Né à Montfort-sur-Risle dans l'Eure, Albert Lebourg est d'abord commis d'architecte à Rouen. Très vite il se met à étudier le dessin et fait de fréquentes visites au musée de Rouen : il y découvre les paysages de Corot, Ziem et Daubigny, qui l'incitent à peindre sur le motif.

Ses premières oeuvres se rapprochent de la peinture sombre et dramatique des peintres de l'Ecole de Barbizon. C'est au cours d'un séjour en Algérie, où il part en 1872 enseigner le dessin, qu'il «découvre» la lumière et les couleurs claires, qu'il introduit aussitôt dans sa peinture.

De retour en France, il peint de nombreux paysages des bords de Seine, son sujet favori; «Je vais peindre beaucoup au bord de la Seine, du côté de Courbevoie, de Suresnes où souvent je prends le bateau pour aller vers Paris, en m'arrêtant à Saint-Cloud (...) c'est là une mine de motifs et de très beaux paysages». Loin de l'excitation citadine, il peint avec sensibilité de nombreuses vues de la Seine, se concentrant sur les effets d'ombre et de lumière, qui donnent à ses tableaux une agréable atmosphère de calme et de tranquillité, particulièrement sensible dans *Le Pont de Neuilly du côté de Courbevoie*, et *La Seine au Bas-Meudon*. Il produit beaucoup et devient très populaire, sans rechercher la célébrité ni les succès au Salon.

Sa technique, très personnelle, est impressionniste d'instinct : il procède par petites touches régulières et juxtaposées. Il participera d'ailleurs aux expositions impressionnistes de 1878 et 1880.

Il finit par se fixer à Rouen, après avoir voyagé en Hollande, en Belgique, en Angleterre et en Suisse. Il est surtout connu aujourd'hui pour les oeuvres de cette période, en tant que peintre de l'Ecole de Barbizon.

Les oeuvres de Lebourg sont en grande partie dans des collections privées mais certaines sont conservées au musée d'Orsay et au musée de Rouen.

Tableaux p. 52, 82, 91

Stanislas Lépine
(1835 - 1892)

Stanislas Lépine arrive de sa Normandie natale à Paris comme boursier au collège Chaptal. Vers l'âge de 18 ans, il décide de devenir peintre et commence, en autodidacte, à copier les tableaux de maîtres au musée du Louvre.

Il s'installe à Montmartre en 1859 et ne quitte plus la Butte. Ce parisien de coeur affectionne particulièrement les bords de Seine; son tableau *Nanterre et le mont Valérien* est un bon exemple de la qualité de sa peinture qui conjugue un dessin sûr, un charme et une délicatesse qui la rapprocheront de celle de Corot, notamment par l'emploi des gris perlés, par la subtilité des nuances et par la modestie et la sincérité de l'artiste devant le sujet.

Lépine prend part à la première Exposition impressionniste en 1874 (voir Monet p.140). Mais il est un artiste «intermédiaire», et reste à l'écart des milieux officiels et du mouvement impressionniste.

Il meurt en 1892 sans jamais avoir connu la reconnaissance du public. On peut voir ses oeuvres aux musées de Sceaux, de Reims et de Rouen.

Tableau p. 86

Luigi Loir
(1845 - 1916)

Né à Goritz en Autriche, Loir fait ses études à l'école des beaux-arts de Parme. Il s'installe à Paris en 1863 et débute au Salon en 1865 où il connaît un certain succès.

Dans la lignée des peintres de Barbizon, il se consacre à la peinture de paysage et représente avec habileté des vues des alentours de Paris. Il est considéré comme un précurseur de l'Impressionnisme par la liberté de la touche; sa peinture reste néanmoins sage et classique dans ses compositions, suivant la tradition de Daubigny et Rousseau, sans jamais atteindre les audaces de Monet ou Pissarro.

Le Petit Palais, le musée Carnavalet à Paris, et le musée Chéret à Nice conservent des oeuvres de Loir.

Tableau p. 95

Maximilien Luce
(1858 - 1941)

Maximilien Luce est né à Paris en 1858, d'un père modeste employé à la Ville de Paris. Les événements de la Commune en 1871 — il n'a pas encore treize ans — le marquent profondément, et les problèmes sociaux et politiques le préoccuperont tout au long de sa vie.

Il entre en apprentissage à l'âge de quatorze ans, dans l'atelier d'un graveur. C'est un bon métier — la presse a alors de plus en plus besoin d'illustrations — un compromis artisanal entre l'art et le prolétariat. Luce gagne sa vie en travaillant pour de nombreuses revues, notamment pour *L'Illustration*.

Cela ne l'empêche pas de peindre avec passion et talent : il expose pour la première fois ses toiles au Salon des indépendants en 1887. Sa première manière est impressionniste; très loin des «maîtres» des Salons officiels, il adopte ce style encore mal accepté, qui correspond à son tempérament de révolté.

Puis il commence à travailler avec Pissarro et Seurat. Influencé par ce dernier, il devient un adepte du Pointillisme mais plus détendu, plus lyrique. Il peint avec coeur et sensibilité, exprimant une poésie proche de celle qui se dégage de la peinture de Sisley. Il recherche l'harmonie de la lumière et de ses reflets, en faisant scintiller les tons clairs de sa palette. Il n'a pas la rigueur, la volonté intellectuelle de systématisation de Seurat, sa facture montre plus de souplesse, de fluidité.

Luce ne conçoit pas de paysage sans présence humaine, aussi, ses préoccupations d'ordre social s'expriment-elles dans sa peinture. Il manifeste son intérêt pour le peuple, l'activité ouvrière dans des «tableaux documents» comme *Les Batteurs de pieux* (1902-1903) ou encore *Le Pont d'Issy-les-Moulineaux*. C'est un anarchiste idéaliste, ami des pauvres, fidèle à son milieu d'origine. Mais il écoute plus son coeur que les leaders, et n'est pas un militant aveugle : la violence lui répugne, il n'a pas oublié les horreurs de la Commune. Il collabore à différentes

Louis Valtat
Portrait de Maximilien Luce
Mantes-la-Jolie, musée Maximilien Luce

revues engagées, comme *Le Père Peinard* où s'exprime tout son talent de dessinateur. Ses opinions politiques le mènent quelques temps en prison, à la suite d'une manifestation anarchiste à laquelle il participe.

En 1917, il achète un atelier à Rolleboise, un village proche de Mantes, sur les bords de la Seine. Il y fait de longs séjours, partageant sa vie entre Paris et son atelier campagnard.

En 1934, alors âgé de 76 ans, Luce est élu président de la Société des artistes indépendants, après la démission de Signac. C'est le premier et dernier honneur qu'il accepte.

La plus grande partie de son oeuvre est conservée dans un musée qui porte son nom à Mantes. Ce musée a été créé en 1975, après que son fils ait fait un legs important à la Ville de Mantes. Le musée national d'Art moderne et le musée d'Orsay possèdent également quelques uns des tableaux de l'artiste.

Tableaux p. 31, 68, 69

Henri Fantin-Latour
L'Atelier des Batignolles (au chevalet, Edouard Manet)
Paris, musée d'Orsay

<u>*Edouard Manet*</u>
(1832 - 1883)

Edouard Manet appartient à ce monde distingué et cultivé de la haute bourgeoisie parisienne. Son père, qui occupe un poste important au ministère de la Justice, aimerait le voir faire une carrière de magistrat, mais les études de droit n'enchantent guère Manet. Il se présente finalement au concours d'entrée à l'Ecole navale, auquel il échoue, et embarque sur le bateau-école «Havre-et-Guadeloupe». Après un deuxième échec au concours du Borda, sa famille consent à ce qu'il poursuive une carrière artistique.

Il entre dans l'atelier de Thomas Couture vers 1849 et commence à copier au Louvre les oeuvres du Titien et de Velázquez. Il manifeste déjà un vif intérêt pour la lumière et ses copies sont plutôt des transpositions dans lesquelles il s'applique plus à définir les structures du tableau qu'à reproduire des nuances ou des détails.

Son premier tableau *Le Buveur d'absinthe* (Copenhague) est refusé au Salon de 1859, malgré le suffrage de Delacroix. Ses toiles provoquent des scandales retentissants : *Le Déjeuner sur l'herbe* et l'*Olympia* (musée d'Orsay) indignent l'opinion, qui admire les Vénus acidulées du peintre officiel Cabanel, mais ne peut tolérer le nu représenté dans un contexte contemporain.

C'est à cette époque qu'il rencontre Baudelaire; ils partagent les mêmes idées sur la «modernité» et seront l'un et l'autre les précurseurs de la peinture et de la littérature modernes. Manet ne respecte aucune des règles et des conventions picturales dictées par l'Académie : il se moque de la perspective, adopte une facture libre, et utilise le noir et le blanc comme des couleurs. Il se détourne des modes de représentation traditionnels pour exprimer sa propre vision de la réalité.

Zola, Maupassant, Mallarmé sont aussi ses amis. Il fréquente les salons parisiens où se côtoient les intellectuels de l'époque, mais aussi les jolies femmes élégantes, qu'il aime tant à représenter dans ses tableaux (*Le Balcon*, *La Lecture*, musée d'Orsay).

Par son talent Manet exerce un fort ascendant sur les jeunes peintres : Monet le considère comme son maître. Il soutient les impressionnistes mais refuse leur invitation à participer à l'Exposition de 1874, chez Nadar (voir Monet p.140) bien qu'à cette époque, son style se rapproche de la technique impressionniste. On retrouve bien dans *Argenteuil* (musée de Tournai) ou *En bateau* (New York, Metropolitan Museum) le chatoiement de la touche et du coloris, la lumière «papillotante».

Pourtant Manet n'a que rarement peint des paysages : il ne se plaît guère à la campagne (tout comme Baudelaire), c'est un citadin, parisien de surcroît ! Mais la maladie le contraint à quitter momentanément Paris; il passe l'été de 1882 à Rueil dans une charmante maison entourée d'un jardin. Il y reçoit la visite de très jolies femmes comme la cantatrice Emilie Ambre ou la jeune Isabelle Lemonnier, dont il apprécie la compagnie et l'amitié.

La Maison de Rueil est un sujet typiquement impressionniste : c'est une agréable demeure, baignée de soleil, vue à travers l'écran des arbres du jardin. La touche est rapide mais sûre, la palette claire et lumineuse.

Manet a opéré une véritable révolution dans la peinture; avec lui commence l'art moderne. C'est un artiste solitaire, indépendant, libre vis-à-vis des règles et des contraintes. Bien qu'il ait souffert des attaques et de l'incompréhension de ses contemporains, il n'a jamais fait aucune concession au goût des critiques officiels ou du public.

Il meurt prématurément, après une amputation de la jambe gauche, à l'âge de cinquante-et-un ans.

Ses oeuvres ont été regroupées au musée d'Orsay, et dans certains musées de province dont ceux de Dijon, Nancy, Lyon, Le Havre.

Tableaux p. 81, 85, 97

Albert Marquet
(1875 - 1947)

Albert Marquet n'a que quinze ans lorsque sa famille s'installe à Paris en 1890. Dès son arrivée, il s'inscrit à l'Ecole des arts décoratifs où il rencontre Matisse, avec lequel il se lie d'amitié. Ils entrent en 1895 dans l'atelier de Gustave Moreau — la maître du Symbolisme — à l'école des beaux-arts. Sur les conseils de celui-ci, Marquet s'exerce à copier les tableaux du musée du Louvre, et acquiert ainsi une excellente technique.

Après la mort de Gustave Moreau, il fréquente l'académie

Ranson où enseigne le peintre Nabi Paul Sérusier (voir Emile Bernard p.123). Marquet traverse une assez longue période de recherche avant de s'affirmer, travaille d'abord en atelier, puis en plein air dans les environs de Paris : il peint ses premiers paysages transposés en couleurs pures, violentes, annonçant déjà le Fauvisme.

Il expose au Salon des indépendants, puis au Salon d'automne, et participe en 1905 au scandale de «la cage aux fauves», avec Matisse, Derain et Vlaminck (voir Matisse ci-dessous). La perspective traditionnelle disparaît de sa peinture, les plans sont organisés d'une manière graphique, syncopée, avec des couleurs pures et contrastées : *Le 14 juillet au Havre* (1906, musée de Bagnols-sur-Cèze) est une des oeuvres les plus importantes de cette période.

Par la suite Marquet abandonne cette violence fauve pour adoucir et tempérer sa palette qui se fait plus sourde. Il peint de nombreux paysages et montre une prédilection pour les thèmes portuaires.

Le succès venant, il fait de nombreux voyages en Afrique du Nord, en Hollande et en Suède au cours desquels il peindra, entre autres : *Port d'Alger*, *Le Port de Rotterdam*, *Stockholm par temps clair*, mais revient toujours sur les bords de la Seine, attiré par les fleuves animés de bateaux et séduit par l'animation qui règne sur les quais.

Son oeuvre est très bien représentée au musée national d'Art moderne du Centre Georges Pompidou et au musée de Bordeaux, sa ville natale.

Tableau p. 30

Henri Matisse
(1869 - 1954)

Il existe des peintres dont la vocation s'est révélée par hasard, ou tardivement. C'est le cas de Matisse, figure de proue de la peinture française du XXe siècle.

Né le 31 décembre 1869 au Cateau-Cambrésis dans le Nord, Henri Matisse, dont le père était dans le commerce du grain, fait ses études de droit à Paris. Il devient clerc de notaire à Saint-Quentin en 1889, et suit des cours de dessin à l'école Quentin de la Tour, du nom du célèbre pastelliste du XVIIIe siècle. Sans une opération de l'appendicite qui le retient au lit plusieurs mois, Matisse ne serait peut-être pas devenu le peintre que l'on connaît. C'est pendant sa longue convalescence qu'il prend goût à la peinture, au point qu'en 1892, il abandonne le cabinet d'avoué de Saint-Quentin et vient s'installer à Paris pour se consacrer à son art.

Il s'inscrit d'abord à l'académie Julian, un atelier libre, puis à

Henri Matisse
Autoportrait, 1918
Collection privée

des verts crus), violentes, qui choquent le public. Le critique Louis Vauxcelles écrira alors qu'il a vu «un Donatello chez les fauves». Ces peintres décriés garderont ce nom, passé depuis à la postérité. Avec son tableau *Luxe, calme et volupté*, Matisse devient, aux yeux des collectionneurs étrangers, le chef de file de la peinture française moderne.

Le russe Serge Stschoukine lui commande en 1909 deux grands décors : *La Musique* et *La Danse*. Cette même année, Matisse quitte Paris et s'installe à Issy-les-Moulineaux, où il restera plus de dix ans. C'est dans l'atelier d'Issy qu'il exécute certains de ses plus grands chefs-d'oeuvre comme *L'Atelier rose*, *La Fenêtre bleue*.

Les éléments les plus simples de son cadre de vie deviennent des tableaux aux couleurs vives, mais débarrassés de la violence fauve, pour laisser place à une sérénité et une tendresse poétiques. La joie de vivre, le bonheur simple, la quiétude même se dégagent des *Poissons rouges* ou de *La Leçon de piano* (New York, Museum of Modern Art).

Dans sa maison entourée d'un grand jardin, le peintre vit heureux au milieu de sa famille et de ses amis. Passionné d'équitation, il convie ses anciens condisciples Marquet et Camoin à l'accompagner dans de longues randonnées à cheval.

Pendant la première guerre mondiale, la famille Matisse accueille femmes et enfants des amis partis sur le front, comme le peintre Chaurand-Naurac, voisin depuis 1913.

En 1917 Matisse découvre la Côte-d'Azur, où il retourne l'année suivante. Il y rencontre Bonnard et Renoir. En 1920, il quitte la villa d'Issy-les-Moulineaux pour s'installer à Nice.

La même année, il dessine les décors et les costumes pour *Le Chant du rossignol*, un ballet de Diaghilev, sur une musique de Stravinsky. Il renouvellera l'expérience en 1937 pour *Rouge et Noir* de Massine, sur une musique de Chostakovitch.

Peu à peu connu dans le monde entier, Matisse fait de nombreux voyages à l'étranger : il se rend aux Etats-Unis, au Danemark, en Suisse et à Londres pour des expositions, des remises de prix ou des rétrospectives de son oeuvre, mais aussi au Maroc, en Italie et à Tahiti où il puise son inspiration.

Son imagination semble inépuisable, le besoin de créer est chez lui toujours vivace, mais les rhumatismes commencent à le faire souffrir et il éprouve des difficultés à manier les pinceaux. Il a recours désormais aux papiers gouachés et découpés : «découper à vif dans la couleur me rappelle la taille directe des sculpteurs». Les vingt gouaches découpées de *Jazz* sont publiées en 1947; l'artiste est âgé de 77 ans. Il est encore très sollicité et reçoit de nombreuses commandes, notamment pour les cartons d'une tapisserie consacrée à l'éloge de la Polynésie, le *Ciel* et la *Mer*. Son dernier chef-d'oeuvre est probablement le décor pour la chapelle des dominicains à Vence.

Inépuisable créateur, Matisse invente sans cesse de nouveaux thèmes, élabore de nouvelles techniques, avec une étonnante

l'Ecole des arts décoratifs, où il rencontre Marquet et Camoin qui deviennent ses amis, et entre enfin dans l'atelier de Gustave Moreau à l'école des beaux-arts en 1895. Le maître du Symbolisme lui enseigne une technique sûre et l'aide à affirmer sa personnalité. Commence alors pour Matisse une période de recherche, qui aboutit au Fauvisme.

Marié en 1898, père d'un petit garçon l'année suivante, l'artiste rencontre de graves difficultés matérielles et doit quitter Paris en 1902. Deux ans plus tard néanmoins, le marchand Ambroise Vollard, grand découvreur de jeunes talents, organise la première exposition consacrée à Matisse qui commence à se faire connaître.

En 1905 éclate le scandale de «la cage aux fauves» : au Salon d'automne de cette année, une statue très académique du sculpteur Marque, dans le goût de la Renaissance italienne, est exposée au milieu des tableaux de Matisse, Marquet, Dufy, Derain, Vlaminck, aux couleurs pures (des rouges, des jaunes, capacité à résoudre les différents problèmes qu'il rencontre.

Au delà de ces renouvellements techniques et esthétiques, on retrouve constamment dans son oeuvre l'harmonie somptueuse des couleurs et du dessin.

Il a su tour à tour adapter les styles décoratifs ou picturaux à ses aspirations esthétiques, et son art influence encore la production contemporaine.

Un musée Henri Matisse a été inauguré en 1952 au Cateau-Cambrésis. De nombreux autres musées possèdent d'importantes collections illustrant les différentes périodes de l'artiste : le musée national d'Art moderne du Centre Georges Pompidou, le musée de Grenoble, et le musée Matisse de Cimiez.

Tableaux p. 42, 71

Léon Mellé
(1816 - 1889)

Léon Mellé est né à Paris en 1816. Formé auprès des peintres Coignet et Renoux, il présente ses premières toiles au Salon de 1839. Il expose ensuite régulièrement des paysages exécutés au cours de ses voyages, en Picardie, dans le Dauphiné ou en Suisse, et des vues de la région parisienne, dont il devient spécialiste.

Les oeuvres de Léon Mellé sont conservées au musée de l'Ile de France à Sceaux.

Tableau p. 84

Charles Mercier
(1832 - 1909)

Né à Paris en 1832, Charles Mercier exerce, comme son père, le métier de restaurateur de tableaux. Avec l'approbation et le soutien matériel de celui-ci, il entre dans l'atelier de Louis-François Français, qui l'initie à la peinture de paysage, dans le style sombre de l'Ecole de Barbizon.

Sous l'influence de Corot, dont il devient l'ami, il éclaircit sa palette, s'efforçant de rendre l'atmosphère et la lumière de la nature, peignant sur le motif des paysages d'Ile de France. Ses sujets sont variés : il représente, suivant son humeur ou son inspiration, des sites insolites, des fêtes populaires, ou des travaux des champs.

Son métier de restaurateur — très sollicité — et d'expert auprès de tribunaux lui laisse peu de temps pour la peinture, qu'il pratique cependant avec talent et sensibilité. Ses oeuvres ont d'ailleurs figuré au Salon de 1861 à 1870.

Tableaux p. 88, 99

Georges Michel
(1763 - 1843)

Fils d'un employé des Halles à Paris, Georges Michel entre dans l'atelier du peintre Leduc à l'âge de douze ans, et devient quatre ans plus tard l'élève d'Elisabeth Vigée-Lebrun.

Michel est un précurseur du paysagisme réaliste et romantique : il dessine sur le motif des vues des alentours de Paris et travaille la composition de ses tableaux en atelier.

Ne comprenant pas le caractère lyrique de ses vastes paysages à la facture audacieuse, la critique l'ignore, et ses oeuvres sont régulièrement refusées au Salon.

Les oeuvres de Georges Michel sont conservées dans de nombreux musées, dont le musée du Louvre et le musée de l'Ile de France à Sceaux.

Tableau p. 32

Claude Monet
(1840 - 1926)

Né à Paris en 1840, Claude Monet passe son enfance au Havre où sa famille s'est installée en 1845. Très tôt, il présente des dispositions pour le dessin et vers l'âge de quinze ans, il se fait une certaine réputation en vendant des caricatures de notables de la ville, exécutées sur le vif.

C'est vers 1856 qu'il rencontre le paysagiste Eugène Boudin, qui l'encourage et lui apprend à peindre d'après nature, en plein air. Monet dira plus tard qu'après cette rencontre, sa «destinée de peintre s'est ouverte».

Refusé à l'école des beaux-arts du Havre, Monet arrive à Paris en 1859. Mais ce premier séjour dans la capitale est de courte durée : il doit bientôt partir pour l'Algérie où il effectue son service militaire. Il dira à propos de ce séjour : «Je ne me rendis pas compte d'abord, les impressions de lumière et de couleur que je reçus là-bas ne devaient que plus tard se classer; mais les germes de mes recherches futures y étaient.»

Dès son retour à Paris, Monet décide de se consacrer à la peinture et devient l'ami de jeunes artistes comme Pissarro, Renoir ou Sisley. Sans le sou mais jeunes et insouciants, ils fréquentent les auberges populaires et les buvettes des bords de Seine, aux alentours de Paris. Au cours de ces promenades parmi les canotiers, baigneurs et couples en goguette, le jeune peintre rencontre Camille Doncieux, qui devient sa compagne et donne naissance à leur premier fils en 1867.

Pierre-Auguste Renoir
Portrait de Claude Monet
Collection privée

Monet devient le chef de file du groupe, mais rencontre à nouveau de graves difficultés matérielles, et ses amis Manet, Caillebotte et Zola, en lui achetant quelques toiles, lui permettent de s'installer à Vétheuil : de cette époque (1878) date *Le Printemps à travers les arbres : l'île de la Grande Jatte*, à l'atmosphère douce et lumineuse.

Après avoir été rejetés durant des années, les impressionnistes vont peu à peu connaître le succès. En 1883, Monet s'installe à Giverny, et Durand-Ruel organise des expositions du groupe à l'étranger.

En 1890, Monet achète à Giverny une maison entourée d'un grand jardin. C'est là, dans un cadre très impressionniste qu'il entreprend les grandes séries des Nymphéas auxquelles il travaillera jusqu'à la fin de sa vie. Clemenceau, l'ami des peintres, lui proposera de les installer à l'Orangerie des Tuileries. Monet meurt à Giverny à l'âge de 86 ans.

Son oeuvre est aujourd'hui conservée au musée d'Orsay, au musée Marmottan à Paris, au musée de Rouen et dans de nombreux musées américains.

Tableaux p. 58, 64

Berthe Morisot
(1841 - 1895)

Née en 1841 à Paris, dans un milieu aisé et cultivé, Berthe Morisot commence à dessiner et à peindre très tôt. A 17 ans, elle s'exerce à copier des tableaux de maîtres au musée du Louvre, et devient en 1862 l'élève de Corot, qu'elle admire. Elle se rend souvent à Ville-d'Avray pour prendre des leçons et peindre d'après nature, aux côtés du maître, qui est devenu l'ami de la famille, et qui fait de fréquentes visites chez les Morisot.

L'enseignement de Corot est très bénéfique pour Berthe, qui apprend à peindre sur le motif, et manifeste déjà dans sa peinture une grande sensibilité et beaucoup de vivacité. Monsieur Morisot père installe pour sa fille un atelier dans le jardin de la maison parisienne.

Une deuxième rencontre devait être décisive à bien des égards, celle d'Edouard Manet. En 1868, le peintre Fantin-Latour lui présente l'auteur d'*Olympia* et du *Déjeuner sur l'herbe*, lors d'une visite au musée du Louvre. Manet encourage Berthe, et lui demande de poser pour lui. Il fera de nombreux portraits d'elle : *Le Balcon*, *Berthe Morisot à l'éventail*, *Berthe Morisot au bouquet de violettes*, *Le Repos*.

Cette jeune femme aux grands yeux sombres, pleine de sensibilité, n'est pas seulement appréciée pour sa beauté (fatale

Mais la vie est difficile et Monet doit fuir à plusieurs reprises pour échapper à ses créanciers. Bazille lui vient en aide en lui achetant sa grande toile des *Femmes au jardin*, aujourd'hui au musée d'Orsay.

En 1870, Monet est en Normandie avec Camille et son fils. Lorsque la guerre éclate, il se réfugie à Londres où le peintre Daubigny le présente à Durand-Ruel, qui lui achète plusieurs toiles. Le célèbre marchand parisien, aux goûts d'avant-garde, organisera par la suite de nombreuses expositions avec les impressionnistes.

C'est après la guerre que ces jeunes artistes, en réaction contre l'Académie et la peinture officielle, vont confronter leurs idées et leurs recherches. Ils décident de s'unir et peuvent enfin exposer leurs toiles chez le photographe Nadar, en 1874. Le tableau de Monet *Impression, soleil levant* suscite les railleries de la critique qui qualifie ironiquement cette peinture d'«impressionniste».

Edouard Manet
Le Balcon (assise à gauche, Berthe Morisot)
Paris, musée d'Orsay

la campagne (*Dans les blés*) est pleine de sensibilité et de délicatesse.

A sa mort en 1895, sa peinture n'est encore reconnue que par ses proches, et il faut attendre plusieurs années pour qu'on la redécouvre.

Ses oeuvres sont en partie conservées au musée d'Orsay et dans les musées américains.

Tableaux p. 57, 80

Antony Morlon
(1834 - 1914)

Antony Morlon exposa au Salon régulièrement de 1868 à 1905, et devint membre de la Société des artistes français en 1883.

Il est l'auteur de marines bretonnes, de scènes de genre, de portraits et de paysages qui lui valurent plusieurs médailles.

Le musée de Digne et le musée de l'Ile de France de Sceaux conservent quelques oeuvres d'Antony Morlon.

Tableau p. 17

diront certains), mais aussi pour son esprit et son talent de peintre. Elle est l'image même de l'héroïne baudelairienne, belle et mélancolique, intelligente et passionnée.

1874 est pour elle une année décisive : elle participe à la première Exposition impressionniste, et épouse Eugène Manet, le frère du peintre. Cette année est également marquée par le deuil : la mort de son père, puis celle de sa mère deux ans plus tard, l'affectent profondément.

Elle est l'un des plus farouches défenseurs de l'Impressionnisme, et si elle subit parfois, à ses débuts, les railleries de ces messieurs, elle est très vite acceptée comme l'une des leurs et reçoit leur estime.

Sa peinture exprime la douceur, par la clarté du coloris et le choix des sujets : des paysages, des personnages féminins et des enfants, que l'on retrouve dans son tableau intitulé *Sur la terrasse à Meudon*. Sa manière très personnelle de rendre la lumière qui filtre à travers les feuillages, ou ses reflets dorés sur

Alexandre Nozal
(1852 - 1929)

Formé par Harpignies, Alexandre Nozal débute au Salon en 876. Ses toiles très lumineuses, où l'eau et ses reflets jouent toujours un rôle essentiel, le situent dans la lignée de Claude Lorrain et de Turner.

Nozal eut ce talent de pastelliste, qui lui permit de rendre aussi bien les nuances de la lumière de sa région natale, l'Ile de France, comme dans *L'Embâcle de la Seine entre Asnières et Courbevoie*, que les paysages de Suisse ou d'Algérie. Au cours de sa carrière, sa peinture évolue vers un style plus impressionniste, proche parfois de celui de Guillaumin dans la vivacité des couleurs.

Les musées de Bourges, Châlons-sur-Marne, Gray, Nantes et Rouen conservent les oeuvres de Nozal.

Tableau p. 49

Jean-Constant Pape
(1865 - 1920)

Jean-Constant Pape est né à Meudon en 1865. Son père, modeste retraité des chemins de fer, fait construire à Clamart une petite maison qu'il transforme en guinguette. L'endroit est charmant, le jardin merveilleusement fleuri, et agrémenté d'un petit kiosque aux vitres teintées. Les promeneurs sont nombreux à s'arrêter dans cette petite auberge où l'on peut loger pour la nuit. Bientôt les peintres deviennent des habitués de ce lieu si accueillant : Français, Guillemet, Trouillebert s'y retrouvent avec plaisir.

C'est dans cette agréable atmosphère que grandit le jeune Jean-Constant, et ses dons pour le dessin sont vite remarqués par Français, qui lui donne ses premières leçons. Il découvre ainsi Corot, pour lequel il a une grande admiration.

Lors d'un séjour avec sa jeune femme à Auvers-sur-Oise, il fait la connaissance de Pissarro, Monet et Berthe Morisot. Rencontre bénéfique qui l'aide à perfectionner sa technique et à rendre avec plus de sensibilité les effets de la lumière, ses reflets sur l'eau, l'ombre des nuages sur la campagne. Suivant la tradition du paysagisme réaliste, il s'attache à reproduire fidèlement ce qu'il voit. C'est un peintre habile et sensible, grand observateur. Il aime planter son chevalet dans les forêts de Clamart et de Meudon, au bord des étangs ou de la Seine pour peindre des paysages qui se situent dans la lignée de Courbet, Corot et Daubigny. Il est l'un des ultimes continuateurs du style de l'Ecole de Barbizon.

Soucieux de laisser une image juste du monde qui l'entoure, il peint des scènes de la rue, rendant compte de l'activité de ses contemporains avec une franchise et un sens du pittoresque remarquables (*Fête à Clamart*, *La Place du Val-sous-Meudon*, *La Rue Banes*). Sa technique est toujours excellente, sûre, classique. Contrairement à beaucoup d'artistes, Pape ne cherche pas à innover, il perpétue un style, une technique appris au contact d'excellents peintres.

La peinture n'est pas son seul talent : il est également un restaurateur de tableaux réputé et très demandé à qui le musée du Louvre confie souvent de précieux tableaux de maîtres. Les mairies de Clamart et de Vanves, entres autres, font appel à ses dons de décorateur et le choisissent pour réaliser des fresques ou les grands décors peints qui ornent encore ces bâtiments. Toutes ces activités lui laissent néanmoins le temps de présenter ses toiles au Salon des artistes français, où il obtient une médaille en 1895.

Cette reconnaissance n'influe pas sur son tempérament généreux et simple : il aime réunir sa famille et ses amis dans sa maison, où l'on passe d'agréables dimanches. Il ouvre son atelier à ses amis peintres, tandis que sa femme accompagne au piano leur fille, future cantatrice à l'Opéra.

Les oeuvres de Pape ont été rassemblées dans les musées de Meudon, Brest, Saint-Nazaire et Gray (Haute-Saône).

Tableaux p. 40, 41, 66, 79

Jean-Baptiste Pasteur
(1850 - 1908)

Jean-Baptiste Pasteur, fils du célèbre chimiste et biologiste français, ne fut nullement animé de la même ardeur au travail et du goût des sciences qui caractérisèrent son père. Néanmoins, avec le soutien de ce dernier, il s'efforce de répondre aux ambitions paternelles en embrassant la carrière de diplomate.

Amateur de peinture, comme en témoigne son amitié avec le peintre finlandais Edelfelt à qui l'on doit le portrait de Pasteur dans son laboratoire, et peintre lui-même à ses heures, il représentera le domaine de Villeneuve à Marnes-la-Coquette, dernière demeure de son père.

Tableau p. 75

Pierre-Auguste Renoir
(1841 - 1919)

Le plus célèbre des impressionnistes, avec Claude Monet, est né à Limoges en 1841, mais passe son enfance à Paris avec ses parents, modestes artisans. Dès l'âge de treize ans, il devient apprenti décorateur sur porcelaine. Reçu huit ans plus tard à l'école des beaux-arts, il entre dans l'atelier de Gleyre, où il fait la connaissance de Bazille, Monet et Sisley. C'est le début d'une amitié et d'une collaboration qui aboutira à ce que l'on appellera ensuite l'Impressionnisme.

Renoir s'évade le plus souvent de la capitale pour aller peindre sur le motif, dans la forêt de Fontainebleau, où il rencontre Courbet, puis à Bougival où ses parents se sont retirés, et à Argenteuil en compagnie de Monet.

Sa palette se fait de plus en plus claire et éclatante. Il peint à cette époque la Grenouillère, un café flottant sur la Seine, ou des scènes de canotiers, tous les sujets qui lui permettent de recréer sur sa toile les effets fugitifs de la lumière sur l'eau, l'ombre des feuillages sur les personnages. C'est lors d'un séjour à Fontenay-aux-Roses en 1874, chez son ami l'architecte Charles Le

Pierre-Auguste Renoir
Portrait de l'artiste, 1879
Paris, musée d'Orsay

l'Orangerie, dans les musées de Nice et de Bordeaux, ainsi que dans de très nombreux musées étrangers, américains notamment.

Tableau p. 55

Hubert Robert
(1733 - 1808)

Né à Paris en 1733, Hubert Robert étudie le dessin et, en 1754 se rend à Rome en compagnie de l'ambassadeur de France — le futur duc de Choiseul — son protecteur. Le voyage en Italie était à l'époque un passage obligé pour tout jeune artiste, Rome regroupant tous les modèles antiques indispensables à la formation des peintres et des sculpteurs.

Il y retrouve son ami Fragonard, en compagnie duquel il peint de nombreuses vues des environs de la ville éternelle. Les jardins, les ruines et les monuments antiques sont des thèmes qui l'inspirent. Des personnages pittoresques — lavandières, bergers — animent ses paysages, charmants rappels de la réalité au milieu des vieilles pierres (*Ecuries sous les voûtes d'un ancien édifice*, musée des beaux-arts de Dijon, *Laveuses au pied d'une terrasse*, musée d'Orléans).

Une solide réputation de paysagiste et de décorateur précède son retour à Paris, où il reçoit la charge de dessinateur des jardins du roi en 1778 puis devient Garde des tableaux du Museum royal. C'est à cette époque qu'il s'installe à Auteuil et exécute de charmants tableaux comme *Le Moulin-joli* et *Le Décintrement du pont de Neuilly* (voir p. 10).Emprisonné quelques temps pendant la Révolution, il retrouvera vite ses fonctions de «conservateur» (ce terme n'est pas encore utilisé) dans la nouvelle Commission du Museum français.

Ses tableaux sont actuellement conservés au musée du Louvre, au musée de l'Ile de France à Sceaux et dans quelques musées en province.

Tableaux p. 10, 48

Coeur qu'il exécute *Jardin à Fontenay*, dans lequel on retrouve un sujet cher à l'artiste, des figures féminines dans un jardin.

Contrairement à Monet, Renoir va connaître un certain succès auprès de quelques amateurs, dont l'éditeur Georges Charpentier. Grâce à celui-ci, il reçoit des commandes de portraits d'une certaine classe bourgeoise qui apprécie son talent. Il mène alors une sorte de double vie, mondaine et populaire, fréquentant aussi bien le salon distingué des Charpentier, que la foule populaire des guinguettes de Chatou.

Il participe à certaines expositions impressionnistes, en 1874, 1876 et 1877, puis refuse d'y présenter ses toiles, craignant de perdre sa clientèle bourgeoise.

Après de longs séjours en Italie et en Algérie, Renoir s'installe à Cagnes-sur-Mer en 1903. Bien que ses doigts soient paralysés par les rhumatismes, il peindra jusqu'à la fin de sa vie des marines, des baigneuses, et ses enfants Pierre, Jean, et Claude.

Son oeuvre est conservée au musée d'Orsay, au musée de

Henri Rousseau dit le Douanier
(1844 - 1910)

Né à Laval en 1844, ce «peintre du dimanche», considéré comme le père de l'art dit «naïf», est un artiste énigmatique, voire ambigu, dont l'oeuvre est beaucoup plus complexe qu'il n'y paraît. Rousseau n'était pas un naïf; son style très personnel, moderne, est consciemment élaboré, voulu.

Doué pour les arts, il obtient au lycée un prix de dessin et un prix de musique. Toutefois, il n'envisage pas encore de carrière artistique.

Henri Rousseau dit le Douanier
Moi-même, portrait au paysage, 1890
Prague, Galerie Nationale

Il prendra un mauvais départ dans la vie et se retrouvera condamné pour abus de confiance auprès d'un avoué. Après un passage dans l'armée comme engagé volontaire, puis employé comme clerc chez un huissier, il devient commis de deuxième classe à l'octroi de Paris, d'où ce surnom de «douanier».

Il peint en amateur, passant ses dimanches à exercer ses talents d'artiste, en autodidacte. Il obtient même l'autorisation de travailler comme copiste dans les musées nationaux. En 1886, découvert par Signac, il expose pour la première fois ses toiles au Salon des indépendants, auquel il participe chaque année. La critique juge sa peinture grotesque, et seule l'avant-garde de l'époque s'intéresse à lui.

Il se consacre de plus en plus à la peinture à partir de 1893 (il a 49 ans), après avoir quitté l'octroi. Il donne des leçons de musique et de dessin pour vivre, et joue régulièrement dans un orchestre amateur, l'amicale du Ve arrondissement de Paris.

C'est Alfred Jarry, son concitoyen de Laval, qui lui fait con-naître Apollinaire et Robert Delaunay, qui devient son ami. Rousseau voue une admiration teintée de sentimentalisme à la mère de ce dernier, qui lui commande un tableau, *La Charmeuse de Serpents* (musée d'Orsay).

Mais il est de nouveau condamné et jeté en prison en 1907, pour une affaire de chèques sans provision, dupé par un escroc. Il est vite libéré, considéré comme «irresponsable». Est-il vraiment naïf, rusé ou les deux à la fois ? Rousseau est plutôt un original, un peu farfelu, ni conformiste ni marginal.

Il commence à se faire connaître dans les milieux artistiques, intrigués par ce curieux personnage, dont la peinture paraît pour le moins étrange, mais qui suscite l'intérêt. Picasso organise en son honneur un banquet dans son atelier du Bateau-Lavoir. Vollard et Brummer, deux célèbres marchands parisiens, lui achètent des toiles.

Très éloigné des tendances impressionnistes de l'époque, son art, apparemment naïf par l'esprit, est en fait très médité, travaillé dans la technique et la composition. Les formes sont très marquées, le dessin très net, la couleur très subtilement modulée. Il fait preuve d'une imagination féconde, qui préfigure le Surréalisme. Les thèmes de ses tableaux sont nombreux et variés : ce sont des portraits (*La Muse inspirant le poète*, représentant Apollinaire et Marie Laurencin); des scènes de la vie populaire (*Une Noce à la campagne*, *La Carriole du père Juniet*, tous deux au musée de l'Orangerie); des scènes collectives patriotiques (*Le Centenaire de l'Indépendance*, *Les Représentants des puissances étrangères venant saluer la République en signe de paix*); le sport (*Joueurs de football*); des sujets exotiques (*Le Repas du lion*, *Les Singes dans la forêt vierge*). Tous ces tableaux sont empreints d'une fraîcheur, d'une poésie et d'une valeur symbolique nouvelles, qui rappelle la simplicité majestueuse des primitifs du XVe siècle italien.

Ses paysages ont particulièrement retenu notre attention : en plus des nombreuses vues pittoresques de Paris (*Vue du parc Montsouris*), il a peint d'étonnants paysages des environs de la capitale (*Les Promeneurs dans le parc de Saint-Cloud*, *Vue d'une arche du pont de Sèvres*). Les arbres sont très stylisés, l'exécution très soignée; ces tableaux sont à la fois denses, touffus, et étrangement aérés. On raconte qu'un jour, Ambroise Vollard lui posa cette question : «— Monsieur Rousseau, comment avez-vous pu faire passer tant d'air à travers ces arbres ? — En observant la nature, Monsieur Vollard» lui répondit Rousseau. La clarté des formes, l'emploi d'aplats colorés, en réaction contre l'Impressionnisme, le rapprochent de Gauguin.

L'influence de son oeuvre est difficile à cerner, mais on peut dire que le naturel et une certaine fraîcheur, une réelle indifférence vis-à-vis des poncifs de l'art pictural ont indéniablement marqué les artistes de la première moitié du siècle, sans parler des innombrables «peintres naïfs» que l'on retrouve partout dans le monde.

Les oeuvres de Rousseau sont conservées au musée de l'Orangerie, au musée d'Orsay, au musée Picasso, ainsi que dans de nombreux musées américains, suisses et allemands.

Tableaux p. 24, 35, 74, 101, 108 et 4ᵉ de couverture

Théodore Rousseau
(1812 - 1867)

Fils d'un tailleur parisien, Théodore Rousseau peint son premier tableau à l'âge de quatorze ans, à Montmartre. Aussi entre-t-il à l'école des beaux-arts mais l'enseignement académique l'ennuie; il préfère copier des paysages hollandais du musée du Louvre (les tableaux de Ruisdael, Van Goyen) et peu à peu, il commence à peindre sur le motif, en forêt de Fontainebleau ou en bord de Seine (*Le Vieux Pont de Saint-Cloud*), s'attachant à reproduire le réel en exprimant dans ces paysages romantiques une tension que lui suggère son tempérament passionné.

Il participe au courant naturaliste qui voit le jour vers 1830, fait la connaissance d'artistes qui partagent ses idées. En 1836, il fonde avec Jules Dupré et Diaz, l'école paysagiste de Barbizon. Millet, Corot, Paul Huet l'encouragent et le soutiennent, mais ses oeuvres seront désormais refusées au Salon. Les difficultés matérielles sont telles qu'il doit vendre ses biens.

En dépit des échecs, Rousseau ne cessera de peindre des paysages aux couleurs sombres inspirés par les sites de la forêt de Fontainebleau.

Il meurt à Barbizon en 1867, incompris et méconnu du public. La Bibliothèque Nationale et le musée du Louvre possèdent d'importantes collections des oeuvres de Rousseau; il est également bien représenté dans les musées de Chantilly, Amiens, Dijon, Fontainebleau, Lille et Valenciennes.

Tableau p. 100

Georges Seurat
(1859 - 1891)

Peintre et théoricien, Georges Seurat est le créateur d'un mouvement qui apparaît autour de 1885 : le Néo-Impressionnisme, plus souvent appelé Pointillisme.

Né en 1859 à Paris dans une famille aisée, Georges Seurat s'inscrit dès l'âge de quinze ans aux cours de dessin d'une école municipale. Il travaille sans relâche, animé d'une véritable passion, dessinant aussi bien d'après des illustrations trouvées dans des revues que d'après les plâtres de l'atelier.

Ses parents ne cherchent pas à s'opposer à sa vocation, bien au contraire; ils lui assurent les moyens de vivre confortablement, et en 1877, Seurat entre à l'école des beaux-arts, où il reçoit une formation artistique traditionnelle. Il étudie d'après l'antique, le modèle vivant, ou les maîtres classiques.

C'est également un grand lecteur, qui fréquente avec assiduité les bibliothèques. Il lit tous les traités publiés sur la peinture, étudie les théories de Chevreul sur la couleur, les textes de Delacroix, Corot et Thomas Couture.

Le dessin prend une part importante dans son oeuvre; il y travaille avec acharnement, cherchant à sentir les volumes et les effets contrastés d'ombre et de lumière. Il expose pour la première fois au Salon en 1883 un portrait de son ami Edmond Aman-Jean.

Dans ses premières oeuvres, Seurat subit l'influence de l'Ecole de Barbizon : il peint de nombreux sujets campagnards avec des paysans, qui rappellent sensiblement les tableaux de Millet.

Mais c'est vers l'Impressionnisme qu'il se tourne : la IVᵉ Exposition impressionniste qu'il visite en 1879 provoque chez lui un «choc inattendu et profond». Il adopte leur technique et leurs sujets (des vues des bords de Seine) à partir de 1883.

De cette époque date sa première toile importante : *Une Baignade à Asnières*, refusée au Salon de 1884. Les loisirs et les activités sportives qui commencent à se développer et sont de plus en plus à la mode, sont rendus avec un sens de l'observation et de la couleur propre à Seurat. C'est déjà une oeuvre très originale qui évoque l'art de la fresque, par la simplification et la monumentalisation des formes.

Il fait la connaissance de Pissarro, Luce et Signac, qui partagent ses conceptions et son intérêt pour les traités et les théories scientifiques. Il fréquente les cercles littéraires et artistiques de l'époque, et ses oeuvres sont exposées par Durand-Ruel à New York, et à Bruxelles, sur l'invitation du groupe des XX.

Son tableau le plus célèbre, *Un Dimanche d'été à l'Ile de la Grande Jatte*, est une de ses oeuvres les plus abouties. Seurat a voulu représenter la promenade dominicale au bord de la Seine, pendant la belle saison, des ouvriers, petits commerçants et bourgeois, en famille. Les femmes s'appuient au bras de leur époux ou fiancé, tout en se protégeant des rayons du soleil avec leurs ombrelles. On retrouve là tous les thèmes chers aux impressionnistes.

Pour ce tableau Seurat a d'abord fait de nombreux croquis et dessins d'après nature, avant de travailler la composition générale, qui est le fruit d'une longue et lente élaboration. Seul dans son atelier il applique méticuleusement la technique de la division de la touche : ce sont des petits coups de pinceau très réguliers formant des points de couleurs différentes. Il ne réalise pas ses mélanges de couleurs sur la palette, mais les obtient en juxtaposant sur la toile des couleurs complémentaires, favorisant les contrastes. A une certaine distance l'oeil ne distingue plus les points. Seurat inaugure ainsi une formule de peinture «optique», s'appuyant sur les bases scientifiques. Il rejette l'illusionnisme traditionnel, transforme la réalité au profit de la création picturale.

Ce Néo-Impressionnisme provoque l'étonnement du public et la désapprobation de la critique. Seuls, quelques esprits ouverts à la nouveauté s'intéressent au jeune peintre.

Le paysage occupe également une place importante dans son oeuvre. Au cours de fréquents séjours au bord de la mer — en Normandie — il peint de nombreuses vues maritimes, mais c'est surtout la banlieue parisienne qui l'inspire (*La Seine à Courbevoie, Ville-d'Avray, maisons blanches*).

Ce peintre de génie meurt prématurément à l'âge de trente-et-un ans, foudroyé par la diphtérie. En hommage à son ami disparu, Paul Signac lui dédicace son ouvrage *D'Eugène Delacroix au Néo-Impressionnisme*. Sa mort est ressentie comme une perte considérable par le plupart des artistes et des milieux intellectuels de l'époque.

Les conceptions et l'oeuvre de Seurat ont largement influencé la peinture du XXe siècle : citons les fauves, les futuristes italiens, les expressionnistes allemands, le mouvement néerlandais De Stijl, et certains membres du groupe du Bauhaus.

Les musées américains, qui se sont les premiers intéressés à l'Impressionnisme et au Pointillisme, possèdent d'importantes collections des oeuvres de Seurat; le musée d'Orsay est en France celui qui en conserve le plus grand nombre.

Tableaux p. 18, 19, 50, 51, 62, 63, 115.

Théo Van Rysselbergue
Paul Signac dans son bateau
Saint-Tropez, musée de l'Annonciade

Paul Signac
(1863 - 1935)

Paul Signac est le premier et le principal adepte du Néo-Impressionnisme, élaboré par Seurat. Mais, il en est également le «promoteur», par ses recherches, ses publications et son action au sein de la Société des artistes indépendants.

Né à Paris en 1863, dans une famille aisée — ses parents ont un commerce de sellerie rue Vivienne — Signac se prépare à des études d'architecte, mais la IVe Exposition impressionniste, qu'il visite en 1879, le marque profondément, et il décide bientôt de s'orienter vers une carrière artistique.

A la mort de son père en 1880, sa mère s'installe à Asnières, et le jeune Paul commence à peindre en plein air, sur les quais de la Seine. C'est un jeune homme indépendant, qui possède une forte personnalité : il se forme seul, à l'écart de l'enseignement académique.

Ses premières toiles, parmi lesquelles *Faubourg de Paris : route de Gennevilliers* (1883), sont influencées par l'Impressionnisme, et surtout par l'oeuvre de Monet qu'il admire tout particulièrement.

Caillebotte, qu'il rencontre sur les rives de la Seine devient son ami et lui communique sa passion des bateaux. Signac prend goût à la navigation; il résidera par la suite le plus souvent au bord de la mer qui lui inspirera de nombreux tableaux dont *La Voile Jaune*, 1904 (musée de Besançon).

Participant à la vie intellectuelle de son temps, Signac collabore à la revue *Le Chat Noir*, et aux soirées de café-concert du même nom. Il se lie à des écrivains d'avant-garde comme Huysmans.

Au cours de l'été 1884, il participe activement à la fondation de la Société des artistes indépendants; c'est à cette occasion qu'il rencontre Seurat, et que s'effectue le grand tournant de sa carrière. Il adopte la technique de son ami : la division de la touche et le mélange optique des couleurs (voir Seurat p. 146). Cette influence est déjà sensible dans *L'Embranchement du chemin de fer à Bois-Colombes*, ou dans *Les Gazomètres à Clichy* (1886), où les teintes obtenues par la juxtaposition de petites touches de couleurs complémentaires prennent une luminosité et une intensité nouvelles.

Pissarro, qui rejoint Signac et Seurat, les invite à participer à la VIIIᵉ Exposition impressionniste en 1886 : ils peuvent ainsi présenter leurs premières toiles de style «pointilliste», *Dimanche d'été à l'Ile de la Grande Jatte* (1884-1886) et *Les Gazomètres à Clichy*. Cette nouvelle peinture étonne et laisse les critiques plus que perplexes, alors que l'Impressionnisme n'est pas encore accepté.

Ouvert à tous les mouvements, à tout ce fourmillement d'idées qui se développent à l'époque, Signac se lie d'amitié avec Emile Bernard et Van Gogh qui viennent souvent peindre du côté d'Asnières. Il rendra d'ailleurs une visite à Vincent en Arles, lorsque celui-ci sera hospitalisé (voir Van Gogh p.150).

Après la mort de Seurat en 1891, Signac découvre Saint-Tropez, où il décide de séjourner régulièrement, attiré par la mer, la navigation et la luminosité extraordinaire du Midi. Son goût pour les voyages le mène à Constantinople, à Rotterdam, en Bretagne. Il en ramènera de superbes marines, exécutées à l'aquarelle ou à l'huile.

Petit à petit, sa technique évolue vers une plus grande souplesse, s'éloignant de la rigueur de Seurat. La touche devient plus large, et ses tableaux évoquent la technique de la mosaïque. Il développe un style très personnel, s'intéressant aussi bien au paysage qu'à la nature morte ou au portrait.

Signac est également un écrivain et un théoricien; il publie un essai sur Jongkind, un traité sur l'aquarelle et surtout l'important ouvrage *D'Eugène Delacroix au Néo-Impressionnisme* dans lequel sont exposées toutes les théories scientifiques et esthétiques de la couleur, depuis Chevreul jusqu'à Seurat. Cette oeuvre aura une influence prépondérante sur les générations à venir : les fauves, Matisse, et plus tard Robert Delaunay, Kandinsky.

Engagé auprès des symbolistes et des mouvements anarchistes, il assume également les fonctions de président au Salon des indépendants de 1908 à 1934. Par ses interventions multiples autant que par sa peinture, Signac a joué un rôle essentiel dans la vie artistique de son époque.

Son oeuvre est conservée dans les musées de Besançon, Grenoble, Saint-Tropez et au musée d'Orsay.

Tableaux p. 21, 26, 44, 45, 60

Alfred Sisley
(1839 - 1899)

Alfred Sisley est né à Paris de parents de nationalité anglaise. Son père qui dirige une société d'exportation, l'envoie à Londres apprendre le commerce. En fait d'études, Sisley passe son temps au musée à contempler les paysages de Turner, Constable et Bonington; c'est décidé, il ne sera jamais commerçant.

De retour à Paris en 1862, il entre dans l'atelier de Gleyre où il rencontre Bazille, Monet et Renoir. Il vit, grâce à son père, dans une certaine aisance, dont il fait profiter ses amis : il héberge Renoir lorsque celui-ci se retrouve dans le plus grand dénuement.

Ensemble, ils vont peindre sur les bords de la Seine : les premiers paysages de Sisley sont assez sombres, dans le style de l'Ecole de Barbizon, mais il montre déjà un goût pour les ciels immenses, que l'on retrouve constamment dans ses tableaux. Ses harmonies de bleus et de gris évoquent l'art de Corot.

A partir des années 1870, sa palette va s'éclaircir, notamment dans ses nombreuses vues de bords de Seine : *L'Ile de la Grande Jatte, Le Pont de Villeneuve-la-Garenne*, où l'eau semble saisir les variations de la lumière.

Timide et solitaire, Sisley fréquente assez peu le Café Guerbois où se réunit l'avant-garde, autour de Manet, et ne participe guère aux discussions enflammées qui s'y tiennent. Il montre ses toiles aux premières expositions impressionnistes en 1874, 1876 et 1877.

Après la ruine de son père, son existence devient difficile et précaire. En 1877, il s'installe à Sèvres où il continue de peindre des paysages très construits, à la facture légère et fluide, moins provocante cependant que celle de Monet, mais non moins sensible.

Monet et Pissarro le présentent à Durand-Ruel qui sera son marchand jusqu'au début des années 1890. En dépit des efforts de ce dernier et de ceux de Théo Van Gogh, le frère de Vincent, il se heurte à l'incompréhension et à l'indifférence du public. N'obtenant aucun succès, il vivra dans la misère.

En 1880, il se retire à Moret-sur-Loing, en Seine-et-Marne. De plus en plus isolé, il exécute de nombreuses séries de paysages, reprenant le même thème à des heures ou des saisons différentes, à l'instar de Monet.

Sisley est «le» paysagiste impressionniste par excellence, n'ayant jamais peint de natures mortes ou de figures, à quelques rares exceptions près; de petits personnages, réduits à de simples silhouettes, viennent parfois animer ses paysages.

Il meurt à 60 ans d'un cancer, dans l'anonymat le plus complet. L'écrivain Théodore Duret dira alors qu'il est «celui qui a le plus souffert». Sa renommée n'a depuis cessé de grandir.

Les oeuvres de Sisley sont conservées dans les musées de Grenoble, Rouen, Le Havre, au musée d'Orsay, et dans les plus importants musées américains, japonais, allemands et anglais.

Tableaux p. 61, 102, 111, 121

Louis Tauzin
(1842 - 1915)

Né à Barsac (Gironde) en 1845, Louis Tauzin fait ses études à l'école municipale de dessin de Bordeaux. Peintre de genre, de paysage et d'architecture, il expose au Salon à partir de 1867.

Il s'installe ensuite à Meudon et peint essentiellement des vues de Paris et des paysages anecdotiques animés de personnages, qui enthousiasment le public.

Les musées de Meudon, Boulogne et Bordeaux conservent des oeuvres de Louis Tauzin.

Tableau p. 77

Paul-Désiré Trouillebert
(1829 - 1900)

Paul-Désiré Trouillebert est né à Paris en 1829 ; il débute au Salon en 1865 avec des portraits, puis de très beaux paysages, inspirés de l'oeuvre de Corot.

Il peint avec sensibilité des sites champêtres proches de Paris, notamment à Ville-d'Avray, s'attachant à rendre les nuances et les valeurs subtiles de la nature.

Les oeuvres de Trouillebert sont conservées dans les musées de Mulhouse, Nice, Reims, Saumur et Le Puy.

Tableau p. 117

Constant Troyon
(1810 - 1865)

Constant Troyon fait ses débuts comme peintre sur porcelaine à Sèvres, sa ville natale. Avec Diaz, qu'il rencontre en 1824, et Dupré, il rejoint Rousseau en forêt de Fontainebleau : ils vont former ensemble l'Ecole de Barbizon.

Troyon réalise de nombreuses études de paysages dont une *Vue de la maison Colas prise de la culée du Pont de Saint-Cloud* (p.10) et *Vue prise des hauteurs de Suresnes*, un de ses tableaux les plus aboutis dans lequel il introduit les troupeaux qui paissent dans la campagne. Il devient le peintre animalier le plus célèbre du groupe de Barbizon.

Troyon est très bien représenté dans de nombreux musées de France : le Louvre, les musées d'Amiens et de Bordeaux.

Tableaux p. 10, 106, 110

Maurice Utrillo
(1883 - 1955)

La vie de Maurice Utrillo, comme celles de Modigliani ou Van Gogh, est marquée par des drames successifs liés à la folie et l'alcool. Né à Montmartre en 1883, Utrillo est le fils naturel du peintre Suzanne Valadon. L'espagnol Miguel Utrillo y Molins, ancien ami de sa mère, le reconnaît en 1891, alors qu'il ne l'a jamais vu.

Il passe une enfance malheureuse auprès de sa grand-mère qui ne le comprend pas et ne peut lui apporter l'affection que sa mère, toujours absente, aurait dû lui donner. Utrillo se réfugie dans la boisson alors qu'il n'est encore qu'un enfant. A la suite de multiples esclandres qu'il déclenche dans le quartier de la Butte, il est interné à Sainte-Anne en 1902.

Sur les conseils d'un médecin clairvoyant et compréhensif, il commence à peindre, en autodidacte, des vues de Montmartre et de la banlieue parisienne. Après une première période sombre, il éclaircit progressivement sa palette, et adopte un style proche de l'impressionnisme de Sisley. Quelques critiques, dont Elie Faure et Octave Mirbeau, s'intéressent à lui et le font connaître auprès du public. A partir de 1909 il expose au Salon d'automne et au Salon des indépendants.

Il continue cependant de mener une vie misérable, échouant et s'enivrant dans les cafés. Terrassé par une première crise de delirium tremens il est de nouveau interné pendant quelques mois.

A cette époque, sa peinture évolue sous l'influence de sa mère : dans un style plus dessiné, plus coloré et cloisonné, il représente exclusivement des scènes populaires, comme *Les Guinguettes à Robinson* (1910), des sites urbains, exprimant d'une manière poignante la misère, la solitude des rues. Sa conception de l'espace aux perspectives fuyantes, que l'on retrouve dans *Place à Nanterre*, est particulièrement originale.

En 1919 une exposition de ses oeuvres à la galerie Lepoutre lui apporte le succès. On lui offre des contrats, il est entouré mais personne ne parvient à le stabiliser.

En 1935, il épouse Lucie Valore, de sept ans son aînée. En le cloîtrant dans leur maison du Vésinet, elle espère le guérir de l'alcoolisme. Il reçoit des commandes pour le décor de *Louise*, de Charpentier, à l'Opéra Comique, et exécute pour la salle de la Commission des beaux-arts de l'hôtel de ville deux grands panneaux décoratifs.

Jeanne Hebuterne-Modigliani
Portrait d'Utrillo
Collection privée

son for intérieur des conflits qui s'expriment violemment dans sa peinture; il est, avec Modigliani, un de ces «artistes maudits», marqués par le désespoir et vaincus par une force destructrice, que leur génie n'a pu endiguer.

Vincent Van Gogh est né en 1853 dans une petite ville du Brabant néerlandais. La vocation de son père, un pasteur calviniste, l'a certainement profondément marqué. Bien qu'il montre d'excellentes dispositions pour le dessin dès l'âge de neuf ans, il ne prend conscience de sa vocation que beaucoup plus tard.

Son oncle l'introduit dans la galerie d'art qu'il a fondée, puis cédée à la firme parisienne Goupil en 1869; il y travaille comme vendeur jusqu'en 1876, d'abord à La Haye puis à Londres. A la suite d'une déception amoureuse il se désintéresse de son travail et traverse une crise religieuse. Durant trois années, il se consacre à la prédication, et côtoie quotidiennement la misère physique et morale, apportant soutien et assistance aux malades et aux démunis. Il étudie la Bible, lit beaucoup, en particulier les oeuvres de Zola, Dickens, Hugo. Mais il doit bientôt renoncer à cette vie et se remet à étudier le dessin.

A partir de 1880, il dessine, travaille l'aquarelle avec acharnement et application. Il a enfin trouvé sa voie : devenir le peintre des gens humbles, exalter leur courage et leur dur labeur, à l'instar de Millet qu'il admire et considère comme le seul véritable peintre moderne. Les dessins de cette période expriment le plus profond désespoir, souligné par un graphisme aux traits acérés.

Il travaillera ainsi deux ans avant de se mettre à la peinture. Admirateur de Rembrandt, Daumier, Daubigny, il reprend dans ses propres toiles les teintes sombres, les clairs-obscurs pour dépeindre avec réalisme la pauvreté, comme dans *Les Mangeurs de pommes de terre* (dont on peut voir deux versions différentes, à Amsterdam et à Otterlo). Il rejette l'emphase et l'esthétisme. Son intérêt pour la couleur ne se déclare qu'à la fin de l'année 1885, au cours de son séjour dans la ville d'Anvers, où il découvre les peintures de Rubens.

Van Gogh arrive à Paris en 1886, et s'installe rue Lepic avec son frère Théo qui travaille pour la galerie Goupil. Il passe très rapidement dans l'atelier de Cormon, où il fait la connaissance de Toulouse-Lautrec : ils ont tous deux la même affection sincère pour les déshérités. Il se lie aussi avec Pissarro, Signac, Gauguin et Bernard. Pissarro lui fait découvrir la lumière et la couleur des impressionnistes, Signac les innovations techniques du Pointillisme. Sa palette s'éclaircit très progressivement.

C'est à cette époque qu'il exécute plusieurs paysages près de Paris avec son ami Bernard. Les parents de celui-ci ont une maison à Asnières, et Bernard dispose d'un petit atelier dans le jardin. Marchant sur les traces des impressionnistes, Van Gogh représente des vues de la Seine, des ponts, des restaurants (*La*

N'ayant plus la possibilité de circuler librement, il est désormais contraint de s'inspirer de cartes postales et son style en pâtit. Les expositions se multiplient mais Utrillo n'est plus maître de sa vie, ni même de son art. Il n'est plus que l'ombre de lui-même, manipulé par sa femme et ses proches, alors que son oeuvre est désormais mondialement connue.

Ses oeuvres sont aujourd'hui conservées au musée national d'Art moderne, au musée de l'Orangerie et au musée d'Art moderne de la Ville de Paris.

Tableaux p. 16, 32, 87, 93

Vincent Van Gogh
(1853 - 1890)

La vie et l'oeuvre de Vincent Van Gogh sont intimement liées, sans doute plus que pour aucun autre peintre. Il a vécu dans

Henri de Toulouse-Lautrec
Portrait de Vincent Van Gogh, 1887
Amsterdam, Rijkmuseum Vincent Van Gogh

Pêche au printemps, pont de Clichy, Le Restaurant de la Sirène); on retrouve toujours dans ses oeuvres la présence d'une figure humaine, représentante de ce «petit peuple» qui lui est cher. Les oeuvres de cette période, d'une grande vivacité dans l'exécution et le coloris, traduisent une certaine allégresse.

Van Gogh essaye un peu tous les styles, s'inspire même des estampes japonaises, mais convient avec Bernard et Gauguin que l'Impressionnisme doit être dépassé. La combinaison de ces différentes influences va lui permettre de trouver son propre style.

La recherche de la lumière et de la couleur le conduit dans le Midi : il se rend en Arles en 1888 et engage vivement Gauguin, qu'il admire, à le rejoindre. Ils envisagent de fonder une association d'artistes pour vendre leurs tableaux mais leur expérience de vie artistique commune ne dure que deux mois : les deux hommes ont des tempéraments forts et différents qui s'opposent. Gauguin est un classique à la recherche de paradis

perdus, alors que Van Gogh est préoccupé par des impératifs sociaux, des conflits intérieurs qu'il vit avec intensité. Le 23 décembre, Vincent tente de blesser Gauguin, et se mutile l'oreille gauche. Cette crise met fin au séjour de Gauguin dans le midi.

C'est au cours de cette période que se manifestent chez Van Gogh les premiers symptômes d'une maladie à caractère épileptique. Il lutte désespérément contre la perte de sa lucidité, mais doit être interné à l'Hôtel-Dieu, où il reçoit la visite de Signac. Son frère Théo lui apporte le soutien matériel, affectif et moral sans lequel il n'aurait pu produire une oeuvre aussi riche et abondante.

Vincent passera un an, de mai 1888 à mai 1889, à l'asile Saint-Paul-de-Mausole à Saint-Rémy-de-Provence. Il est en proie à de terribles crises, qui ne le laissent pas indemne, mais il continue à peindre avec passion.

Les oeuvres de cette période sont très abouties : il emploie ses jaunes et ses bleus saturés, caractéristiques de son oeuvre (*L'Arlésienne*, musée d'Orsay). Il parvient à rendre une animation dynamique par la virtuosité et la force de sa touche si particulière, et traduit dans ses toiles son caractère passionné.

Il passe les derniers mois de sa vie à Auvers-sur-Oise, chez le docteur Gachet, qui l'accueille et le soigne. Ses angoisses ne cessent de croître et de le faire souffrir, il a peur de perdre tout à fait sa lucidité. Ses tableaux (*L'Eglise d'Auvers*, musée d'Orsay, *Le Jardin du docteur Gachet*) sont alors des oeuvres poignantes, parfois même angoissantes, tant la touche apparaît tourmentée, les couleurs violentes. Van Gogh semble vouloir y exprimer le sentiment désespéré que l'abîme est tout proche.

Van Gogh met fin à ses souffrances en se tirant une balle de revolver dans la poitrine le 27 juillet 1890. Il meurt deux jours plus tard, dans les bras de son frère Théo aussitôt accouru. Celui-ci ne lui survivra que quelques mois.

L'apport de l'oeuvre de Van Gogh est considérable : il annonce pas ses dessins le Symbolisme des autrichiens Klimt et Schiele, montre aux fauves les possibilités qu'offre la couleur, et est sans conteste le précurseur de l'Expressionnisme.

Les musées d'Amsterdam, Otterlo, La Haye, Rotterdam se sont partagé une grande partie de son oeuvre; le musée d'Orsay a bénéficié de la donation Gachet.

Tableaux couverture et p. 21, 22, 23, 46, 47

Maurice de Vlaminck
(1876 - 1958)

Maurice de Vlaminck est né à Paris en 1876, dans une famille de musiciens : ses parents sont professeurs de violon et de piano. Dès l'enfance il se passionne pour la lecture, le dessin, le violon et... le vélo. Ce jeune athlète commence même une carrière sportive qu'il doit abandonner à la suite d'une grave maladie.

Débordant d'énergie, Vlaminck se consacre à l'écriture (il publie une quinzaine de livres) et aux leçons de violon grâce auxquelles il fait vivre sa famille. La rencontre de Derain, et surtout l'exposition Van Gogh à la galerie Bernheim-Jeune en 1901 déclenchent chez lui le plus grand enthousiasme, et lui révèle sa véritable vocation : la peinture, qu'il abordera désormais avec passion.

Il expose pour la première fois au Salon d'automne en 1905, avec les fauves (voir Matisse p.138). Il est un des partisans les plus farouches du Fauvisme, l'emploi des couleurs pures atteint chez lui une sorte de paroxysme (*Bords de Seine à Nanterre : le quai Sganzin*). Dans ses tableaux les arbres deviennent rouges, les maisons bleues, les visages verts. C'est une peinture spontanée, effrénée, ardente.

Aussi peu mesuré dans ses prises de position que dans son art, Vlaminck aurait volontiers brûlé les musées et l'Académie, considérant l'enseignement, l'exposition au public des toiles de «maîtres», ces modèles à suivre, comme une servitude. «Il faut peindre avec son coeur et ses reins sans se préoccuper du style», telle était sa devise.

On peut voir des oeuvres de cet artiste peu conventionnel au musée d'Orsay, au musée national d'Art moderne, au musée de l'Annonciade à Saint-Tropez.

Tableau p. 89

Pierre Bonnard
Portrait de Vuillard
Zurich, Musée national

Edouard Vuillard
(1868 - 1940)

Edouard Vuillard fait ses études au lycée Condorcet à Paris, où il rencontre Maurice Denis et Ker-Xavier Roussel qui deviendra son beau-frère. Il entre à l'école des beaux-arts en 1888, puis à l'académie Julian, et fonde avec Sérusier, Bonnard, et Denis le groupe des Nabis.

Ouvert à toutes les innovations esthétiques, il s'enrichit des expériences impressionnistes, pointillistes, symbolistes et de l'influence de l'art japonais, connu par les estampes. Son style décoratif, ses intérieurs chaleureux, restituant la vie intime et familiale, suscitent l'intérêt de riches collectionneurs. Il va bénéficier de la protection d'amateurs comme Natanson, Bernheim-Jeune, ou Hessel; c'est dans la propriété de ce dernier que Vuillard peint *Jardin à Vaucresson*, vers 1921. On retrouve dans cette oeuvre l'extraordinaire richesse des couleurs, le dessin sinueux, la lumière très particulière — obtenue grâce à une technique à base de colle et de peinture — qui donnent à sa peinture cette atmosphère de quiétude; le bonheur semble être le véritable sujet de ses tableaux.

Outre ses toiles, Vuillard réalise des panneaux décoratifs pour ses clients et amis et de nombreux décors pour des théâtres d'avant-garde (le théâtre des Champs-Elysées, le théâtre d'art de Paul Fort) et pour le Palais de Chaillot.

Le musée d'Orsay, le Petit Palais et le musée d'Art moderne de la Ville de Paris possèdent de très belles oeuvres d'Edouard Vuillard.

Tableau p. 114

Robert Wehrlin
(1903 - 1964)

Robert Wehrlin est né en 1903 à Winterthur, en Suisse alémanique. Après avoir fait la connaissance du peintre expressionniste Kirchner, il abandonne ses études de droit et se rend à Paris pour se consacrer à la peinture. Il loue un atelier à Montparnasse et devient l'élève du peintre cubiste André Lhote.

Après son mariage en 1938, il s'installe à Antony : c'est sa propre maison qu'il représente en 1942, *La Folie à Antony*, vieille demeure du XVIIIe siècle entourée de grands arbres.

Son oeuvre offre une grande diversité qui témoigne de son indépendance vis-à-vis des écoles et mouvements de l'époque. Il est l'auteur de portraits de musiciens — illustrations pour des affiches de concert — de lithographies, notamment pour une édition des poésies d'Hölderlin; de décorations murales, cartons de tapisserie (*La Lutte de Jacob et de l'ange*), et de modèles pour des vitraux d'église.

Quelques oeuvres de Wehrlin sont conservées au musée de l'Ile de France à Sceaux.

Tableau p. 15

Félix Ziem
(1821 - 1911)

Félix Ziem est né à Beaune, le 26 février 1821. Il entre comme élève à l'école d'architecture de Dijon et obtient un premier prix de dessin et d'architecture en 1839. Il débute à Marseille comme commis d'architecte, et pratique l'aquarelle en dilettante.

Les voyages vont orienter différemment sa carrière; à partir de 1841 il visite l'Italie, Venise en particulier, Kiev, Odessa et la côte méditerranéenne. Fasciné par les paysages qu'il vient de découvrir, il envisage de pratiquer plus sérieusement la peinture, et monte à Paris.

Il devient l'élève du peintre Decamps, et noue rapidement des relations. Frédéric Chopin et Théophile Gautier deviennent ses amis.

Ziem est surtout connu comme orientaliste, et ses paysages peints en Ile de France sont rares. Ce sont généralement des oeuvres de jeunesse, influencées par l'art de Corot. Il abandonne vite les bords de Seine, qui ne correspondent pas à sa sensibilité; en revanche le pittoresque et l'exotisme vont lui permettre de mettre en valeur ses dons de coloriste.

Les oeuvres des peintres orientalistes sont longtemps restées dans les réserves des musées; nous pouvons aujourd'hui les redécouvrir, notamment sur les cimaises du musée d'Orsay.

Tableaux p. 29, 82

Henri Zuber
(1844 - 1909)

Henri Zuber est né en 1844 à Rixheim, dans le Haut-Rhin. Il grandit dans l'atmosphère de la manufacture de papiers peints fondée par son grand-père Jean Zuber. La vue de ces décors et paysages souvent signés par des artistes de talent ont sans doute éveillé son goût pour la peinture, qui se manifeste dès l'enfance.

Sa vocation est cependant contrariée par sa famille qui le fait entrer à l'Ecole navale. Devenu marin, Zuber fait le tour du monde, visite la Chine, le Japon, tout en réalisant croquis et dessins qu'il ramène de ces voyages. Après cinq années passées sur les mers, il se fixe à Paris en 1868.

Ses talents de paysagiste le situent dans la lignée de Corot et Daubigny. Il est admis à participer au Salon chaque année et connaît assez vite le succès. Mais toujours intransigeant avec lui-même, il ne fait aucune concession au goût du public, et cherche au contraire à se renouveler et à perfectionner sa technique.

Tableau p. 36

Table des matières Index

Table/Index

Remerciements

Cet ouvrage n'aurait pu être mené à bien sans le concours de ceux qui, tout au long de son élaboration, nous ont apporté leur aide et leurs conseils. Nous tenons à remercier tout particulièrement :

M. Agamemnon, Conservateur du musée Maximilien Luce à Mantes
Mme Ariès, Conservateur du musée de l'Ile de France à Sceaux
Mme Barbier, Conservateur du musée d'Issy-les-Moulineaux
M. Boucher, Maire de Marnes-la-Coquette
M. Bréon, Conservateur du musée municipal de Boulogne
Mme Chappé
Le baron Chaurand
Mlle Colas
Mme Delanoy, Conservateur du musée Roybet-Fould à Courbevoie
Mme Descours
Mme Devroye-Stilz, Conservateur du musée international d'art naïf à Nice
M. Duthuit
Mme M. Girard, association des amis du peintre Henri Zuber
Mme Blandine Girard, Archives départementales des Hauts-de-Seine
M. Goutagneux
Mme Grammont-Camoin
Mme de Juvigny, Conservateur du musée de Saint-Cloud
Mme Lance, association des amis de Clamart
Mme Lesieur et Mme Perrot, Conservateurs du musée Pasteur
Mme Geneviève Matheron, association des amis du musée de Ville d'Avray
M. Mathias Frehner
M. Marek Mielniczuk
M. Pierre Miquel
Mme Claire Montag
La galerie Pétridès
M. Rousseau, Société des amis de Bagneux
Mme Varine-Gincourt
M. Vialsoubrane
Mme Villadier, Conservateur du musée d'Art et d'Histoire de Meudon
M. Jacques Wehrlin
M. Patrick Weiller

Crédits
photographiques

La documentation photographique a été assurée par Josselyne Chamarat et l'agence Artephot-Ziolo

A. Berlin/musée Magnin, Dijon, p. 84
C. Bertin, p. 136
Bridgeman, p. 19, 50, 51
Bridgeman-Giraudon, p. 26
Bulloz, p. 49, 107
Cercle d'Art, p. 71, 4e de couverture
Coquillay, p. 37
J.C. Couval/musée des Beaux-Arts de Beaune, p. 29
De Lorenzo/musée Jules Cheret, Nice, p. 95
Dolinsky photographic, San Gabriel (Calif), p. 27
Edimedia, p. 132
Faillet, p. 61, 142, 152
Galerie Descours, p. 10
Galerie Marek, p. 43
Galerie Les reflets du temps, p. 56, 88, 99
Galerie Schmit, p. 120
Giraudon, couverture, p. 21, 58, 59, 89, 102, 106, 112, 126, 131, 141
Lauros-Giraudon, p. 39, 52, 94, 111, 118, 128
Held, p. 62, 87, 145
Howald, p. 74
Josse, p. 76
Larousse, p. 98
Lavaud, p. 35
Lemaître, p. 10, 17, 28, 33, 34, 36, 48, 54, 65, 72, 82, 84, 86, 90, 93, 104, 110, 116, 117
Mandel, p. 149
Menil collection, Michael Puig, Houston, p. 21
Pierre Miquel, p. 32, 54, 82
Claire Montag, p. 25, 38, 73, 109, 129
A. Morin/musée de Peinture et de Sculpture, Grenoble, p. 42, 103
Plassart, p. 139
Poplin, p. 16, 32
Roland, p. 40, 41, 53, 66, 68, 69, 70, 75, 77, 78, 79, 81, 96, 100, 101, 108, 113, 117
Routhier, p. 64
Studio Basset, p. 53, 100

Thumarelle/musée d'Issy-les-Moulineaux, p. 70
Vesseron/Archives Départementales des Hauts-de-Seine, p. 36, 92
Walker Art Gallery, p. 115
Wehrlin, p. 15
Whitworth Art Gallery, p. 46

Cabinet des dessins du Louvre, p. 134
Musée des beaux-arts d'Arras, p. 120
Musée des beaux-arts de Bordeaux, p. 30
Musée Crozatier, Le Puy-en-Velay, p. 105
Musée national d'Art moderne, p. 14, 83
The Art Institute of Chicago, p. 47, 63, 80
Baltimore Museum of Art, p. 45
Ohara Museum of Art, Japon, Kurashiki, p. 24
The Metropolitan Museum, p. 114, 121
The Museum of Modern Art, p. 20
Nationalgalerie, Berlin, p. 97
The National Gallery of Victoria, p. 44
The National Museum of Wales, p. 85
Rijksmuseum Vincent Van Gogh, p. 22, 23, 150
The Tate Gallery, p. 123

Réunion des musées nationaux, p. 11, 18, 31, 57, 60, 91, 110, 117, 119, 122, 124, 137, 144, 147

© by ADAGP Paris, 1990 : Bonnard, Camoin, Epstein, Eve, Gleizes, Guillonnet, Hebuterne-Modigliani, Lebourg, Marquet, Metzinger, Valtat, Van Rysselberghe, Vlaminck.

© by ADAGP et SPADEM, Paris, 1990 : Guillaumin, Utrillo.

© by SPADEM, Paris, 1990 : Bernard, Chaurand-Naurac, Dufy, Dunoyer de Segonzac, Luce, Monet, Signac, Vuillard.

© Succession Henri Matisse.

Achevé d'imprimer en octobre 1990
sur les presses de l'imprimerie
Lazare-Ferry à Paris

Réalisation Ceredit
sur les maquettes de Paul-Henri Moisan

Dépôt légal : octobre 1990
ISBN : 2-87787-053-7